El misterio del tigre desaparecido

¡Acompaña a Jen y a Zeke y resuelve estos otros emocionantes misterios del Faro de Mystic!

El misterio de la Curva del Muerto

El misterio del faro oscuro

El misterio del tigre desaparecido

Laura E. Williams

SCHOLASTIC INC.

New York Toronto London Auckland Sydney
Mexico City New Delhi Hong Kong Buenos Aires

A Sheryl, John, Matt y Josh

Originally published in English as
Mystic Lighthouse Mysteries:
The Mystery of The Missing Tiger

Translated by José Ramón Ibañez.

ISBN 0-439-66170-6

12 11 10 9 8 7 6 5 4 3 2 1 5 6 7 8 9/0

Printed in the U.S.A. 40

First Spanish printing, November 2004

Contenido

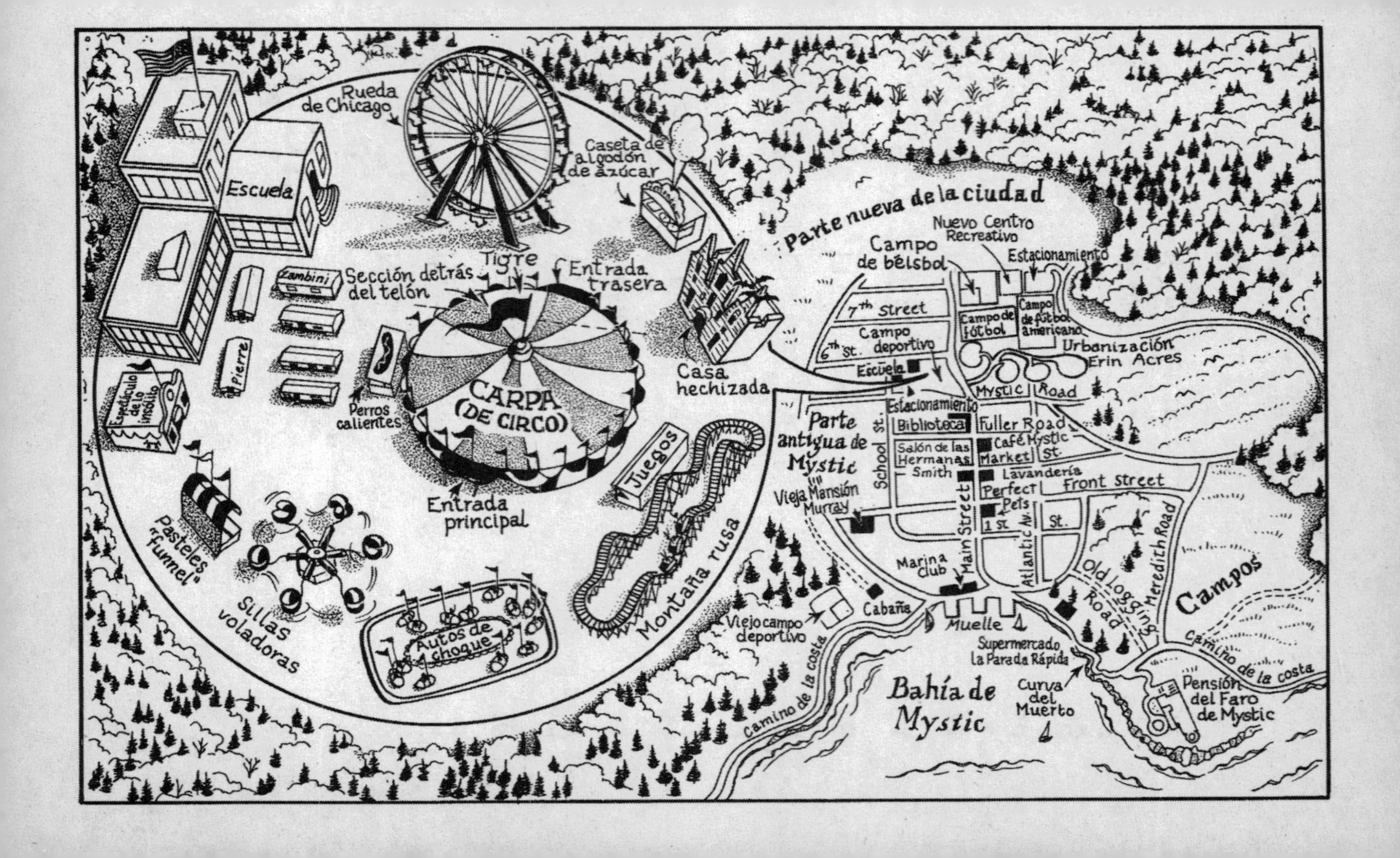

Escuela
Rueda de Chicago
Caseta de algodón de azúcar
Zambini
Pierre
Espectáculo de lo insólito
Sección detrás del telón
Tigre
Entrada trasera
CARPA (DE CIRCO)
Perros calientes
Entrada principal
Casa hechizada
Juegos
Montaña rusa
Pasteles "funnel"
Sillas voladoras
Autos de choque
Parte nueva de la ciudad
Campo de bélsbol
Nuevo Centro Recreativo
Estacionamiento
7th Street
Campo deportivo
6th St.
Escuela
Campo de fútbol
Campo de fútbol americano
Urbanización Erin Acres
Mystic Road
Estacionamiento
Parte antigua de Mystic
Biblioteca
Fuller Road
Salón de las Hermanas Smith
Café Mystic
Market St.
Lavandería
School St.
Front Street
Vieja Mansión Murray
Perfect Pets
Main Street
1 St.
Atlantic Av.
St.
Marina Club
Old Logging Road
Meredith Road
Campos
Cabaña
Viejo campo deportivo
Muelle
Supermercado La Parada Rápida
Camino de la costa
Bahía de Mystic
Curva del Muerto
Pensión del Faro de Mystic
Camino de la costa

Nota al lector

Bienvenido a *El misterio del tigre desaparecido*, donde TÚ puedes resolver el misterio. A medida que vayas leyendo, busca las pistas que apuntan al culpable. Al final del libro, hay varias fichas en blanco. Las puedes fotocopiar para anotar los datos de los sospechosos y las pistas que vayas encontrando a lo largo de la historia. Estas son las hojas que Jen y Zeke usarán más adelante cuando intenten resolver el misterio. ¿Crees que eres capaz de resolver *El misterio del tigre desaparecido* antes que ellos?

¡Suerte!

1

Desastre bajo la carpa

—¡Esto es estupendo! —exclamó Jen dándole un leve codazo a su amiga Stacey. Era la primera vez que estaba en un circo y no quería perder detalle. El aire fresco de Maine se colaba a través de las puertas de la elevada carpa de rayas blancas y rojas. Sentada en la quinta fila con su hermano gemelo Zeke y sus mejores amigos Stacey y Tommy, Jen tenía una vista excelente sobre la polvorienta pista de la carpa.

Zeke echó un vistazo a su reloj. Faltaban diez minutos para que comenzara el espectáculo.

—Hicimos bien en venir temprano —comentó Zeke mientras la gente reía y se aglomeraba bajo la carpa. Vio a varios niños de la escuela y los saludó con la mano. Algunos niños pequeños entraban corriendo con la cara hundida en enormes algodones de azúcar. Detrás de ellos entraban sus padres, apresurados.

—Hemos tenido suerte de que el circo haya venido a la Escuela Secundaria de Mystic —dijo Jen—. ¡Seguro que a los chicos de las escuelas del otro lado del pueblo no les hizo ninguna gracia tener que venir aquí corriendo después de clases!

Stacey se puso de pie para estirar las piernas.

—¿Qué te pasa? —le preguntó Jen.

Stacey hizo una mueca y se agachó para masajear su pantorrilla regordeta. Su cabello corto, rubio y ondulado cayó hacia adelante.

—Creo que me lastimé un músculo en el partido de ayer cuando salté para atrapar la pelota.

—Fue una magnífica parada —dijo Jen—. Ganamos gracias a ti—. Ahora su equipo, los Mystic Monsters, se había clasificado para los partidos eliminatorios.

Stacey se sentó y se frotó suavemente la pierna.

—Espero poder jugar la próxima semana. No quiero perderme el primer partido en el nuevo campo.

Ayer habían jugado el último partido en el viejo campo de juegos. De ahora en adelante, todos los equipos iban a jugar en el nuevo. El nuevo club tenía duchas y una piscina interior. En el viejo solo había una casucha destartalada que apenas protegía al equipo de la lluvia.

—No olviden que perdimos nuestra última pelota en el océano Atlántico —añadió Jen recordando que ayer había pateado la pelota y la había enviado por encima de la valla hasta el océano.

—¡Ahora podremos oír las instrucciones del entrenador Riley! —dijo Stacey y sus ojos celestes brillaron.

Jen se echó a reír. Lo único que era más fuerte que la voz del entrenador Riley era el sonido de las olas, que rompían justo a un lado del viejo campo. Cuando había una tempestad o un viento fuerte, no se escuchaba nada. Ya era hora de que el departamento de actividades de recreo construyera un nuevo campo y un nuevo club.

Zeke se inclinó hacia adelante y señaló la pista.

—Miren, va a comenzar.

La multitud aplaudió con entusiasmo cuando entraron tres payasos empujándose y dando volteretas.

—Ese parece un niño —dijo Jen señalando al payaso más pequeño. Tenía un traje de lunares azules y verdes y mechones de pelo verde brillante que le salían por toda la cabeza. Llevaba una enorme sonrisa pintada en la cara y una bola roja y azul sobre la nariz.

El payaso pequeño se paró de un salto sobre las manos y así dio la vuelta a toda la pista, mientras los otros payasos daban volteretas a su alrededor. Cuando se puso nuevamente de pie, el público aplaudió frenéticamente.

Cinco malabaristas entraron corriendo en la pista. Parecían avispas zumbonas con sus trajes de color amarillo y negro. Daban vueltas en círculo y lanzaban pelotas rosadas fluorescentes hacia adelante y hacia atrás a una velocidad vertiginosa.

—Y yo que pensaba que era buena con mi pelota de fútbol —dijo Jen con un suspiro de admiración. Jen era capaz de mantener una pelota en el aire durante mucho tiempo, dándole toques con la cabeza, las rodillas y los tobillos, pero estos malabaristas eran verdaderamente asombrosos—. Supongo que no podría trabajar en un circo.

Zeke se echó a reír.

—No te sientas mal —le dijo—. De cualquier manera, tía Bee no dejaría que te marcharas. ¿Quién me ayudaría a limpiar la pensión?

Jen sonrió. Ambos vivían con tía Bee desde que sus padres murieron cuando solamente tenían dos años. Tía Bee, la hermana de su abuela, había sido para ellos como un padre y una madre. La vida en la pensión del Faro de Mystic era perfecta. Los hermanos vivían en la torre remodelada del faro y comían muy bien porque tía Bee era la mejor cocinera de la ciudad.

De pronto, la multitud se calló. Los reflectores enfocaron a un hombre alto y calvo, con un enorme bigote negro y brillante, como el de Dalí.

—¡Bienvenidos! ¡Bienvenidos! ¡BIENVENIDOS! —dijo dando una vuelta completa a la pista—. Soy Pierre el Magnífico y les doy la bienvenida a mi circo, ¡el espectáculo más sorprendente de la Tierra!, o al menos de Maine —añadió en voz baja.

El público se echó a reír.

—Esta tarde les ofreceremos un espectáculo sorprendente. ¡Verán cosas que jamás hubieran podido imaginar! ¡Animales que actúan como seres humanos! ¡Los Fabulosos Zambini, que vuelan por los aires con una facilidad increíble! —Levantó la mano para acallar el aplauso—. Pero todos ustedes deben regresar el viernes por la noche... —hizo una pausa— para ver a Terra, la domadora de tigres, con nuestro nuevo, muy especial y extraordinario ¡tigre siberiano!

Una mujer de pelo dorado, malla negra y medias brillantes entró corriendo en la pista. Era muy delgada y tan alta como Pierre. Cuando se inclinó para hacer una reverencia, Jen se fijó que tenía ojos de gata. Terra lanzó un zarpazo al aire con sus uñas de color rojizo, mientras contraía la boca lanzando un gruñido.

—Parece incluso más fiera que un tigre —le susurró Stacey a Jen.

Jen asintió. No le gustaría meterse ni con el tigre siberiano... ¡ni con su domadora!

Tan pronto como Terra cosechó sus aplausos y salió corriendo de la pista, Pierre anunció el primer número.

—¡Demos la bienvenida a los ponis saltarines de Patti!

Todo el mundo aplaudió cuando seis adorables ponis de color rojizo dieron vueltas alrededor de la pista, sacudiendo las campanillas de sus suaves y sedosas crines al compás de la música. El tiempo pasó volando para Jen. Uno tras otro, los números impresionaban y divertían a la multitud. Después de los ponis, aparecieron elefantes barritando, avestruces que lanzaban enormes balones verdes de un lado a otro de una red y acróbatas que formaron una torre humana de diez personas. Entre número y número, los payasos entretenían a la audiencia. Había al menos siete payasos diferentes, y dos de ellos eran obviamente niños, más o menos de la edad de Jen y Zeke.

Jen miró a su alrededor. La multitud estaba embelesada, riendo, aplaudiendo y señalando cosas por toda la pista. Unas cinco filas detrás de ella, vio a la Sra. Watson, la profesora de ciencias de la Escuela

Secundaria de Mystic, con una bolsa de plástico en su regazo. Todo el mundo sabía que la Sra. Watson era una vegetariana estricta y no consumía ningún producto animal. Una vez le dijo a Jen que incluso su tinte de pelo era totalmente natural y que nunca lo habían probado en animales; por eso, el color nunca salía como se esperaba. En ese momento era un poco verdoso.

Jen agitó la mano tratando de llamar su atención, pero la Sra. Watson estaba sentada rígidamente, con los ojos clavados en la pista y la cara petrificada, con un ceño feroz. Eso no era normal. A la Sra. Watson le gustaba contar chistes y pasarlo bien. Conseguía que su clase de ciencias fuera muy divertida con todo tipo de experimentos ingeniosos. Jen dejó de intentar llamar la atención de su profesora y se preguntó por qué la Sra. Watson era la única persona del público que no parecía divertirse.

Los tambores empezaron a redoblar. Pierre el Magnífico se dirigió al centro de la pista y levantó la mano para pedir silencio. Cuando lo consiguió, anunció:

—Y ahora, la apoteosis final... ¡la graaaaaan familia Zambini!

Los reflectores iluminaron dos mástiles que llegaban casi hasta el techo de la carpa y estaban situados en lados opuestos de la pista. Un hombre y un muchacho de unos quince años treparon a uno de los mástiles, mientras una mujer y una muchacha, que parecía un poquito más joven que el muchacho, subieron por el otro.

—Me mareo solo de verlos. Espero que no se caigan —susurró Stacey.

—Están entrenados para eso —dijo Jen estirando el cuello para ver a los trapecistas. Casi no se fijó en la red de seguridad que había extendida a lo largo de la pista por si alguno de los trapecistas se caía. Los Zambini se colocaron en plataformas diminutas en lo alto de ambos mástiles. El padre y la madre desataron simultáneamente los trapecios amarrados con cuerdas cerca de las plataformas. El hombre entregó al muchacho que estaba a su lado el trapecio pequeño (en realidad era una barra suspendida entre dos largas cuerdas) mientras la mujer le pasaba el suyo a la muchacha.

El redoble de tambor cesó repentinamente y fue sustituido por una música suave y melódica que salía por los altavoces. La muchacha y el muchacho se columpiaron de un lado al otro. El chico se colgó boca abajo y enganchó sus pies en la barra. Jen dio un grito ahogado cuando la muchacha soltó la barra a mitad del camino, dio una voltereta en el aire y agarró los brazos extendidos del muchacho. Parecía que no hacían ningún esfuerzo, pero Jen dejó de respirar hasta que los vio a ambos de pie sobre la plataforma, saludando con una reverencia al público, que estaba totalmente entusiasmado.

El Sr. Zambini agarró un trapecio diferente y se balanceó sobre el centro de la pista. Enganchó las piernas y los tobillos en la barra y comenzó a mover los brazos de arriba abajo, ganando mayor altura con cada impulso.

Lo que sucedió a continuación fue tan rápido que Zeke no estaba seguro de haber visto bien. Luego oyó un fuerte grito de todos los que lo rodeaban. Una de las cuerdas del Sr. Zambini se había roto y este ¡se precipitaba al suelo!

Buscando pistas

Zeke se puso de pie y, horrorizado, vio como el Sr. Zambini caía en la red de abajo.

—¡Oh, no! —dijo Jen dando un grito entrecortado e intentando ver por encima de las cabezas de todos los que se habían puesto de pie delante de ella—. ¿Se ha lastimado?

Pierre entró corriendo en la pista con varios payasos. Ayudaron al Sr. Zambini a bajarse de la red y a ponerse de pie. La multitud estalló en aplausos cuando el Sr. Zambini saludó a sus admiradores y salió cojeando de la pista. Pierre permaneció en la pista para anunciar que iban a cancelar la función de esa noche, pero les pidió a todos que regresaran a la función del viernes.

—Mientras tanto, ¡disfruten de las atracciones que hay afuera!

—Si esa red no hubiera estado ahí, el Sr. Zambini

podía haberse matado —dijo Tommy mientras Pierre salía de la pista. Se pasó la mano por su corto cabello castaño—. Es sorprendente que no se haya roto un brazo o una pierna.

—O que no se rompiera la cabeza —añadió Zeke—. Ha tenido mucha suerte.

—O poca suerte, según como lo vean ustedes —dijo Jen apretando los labios.

Los gemelos se miraron. Ya habían visto antes varios incidentes extraños y se preguntaban si este accidente tendría algo que ver con la suerte.

—Vamos a ver si el Sr. Zambini está bien —sugirió Zeke tranquilamente.

Tommy arqueó las cejas.

—No me puedes engañar, Dale —le dijo usando el apellido de los gemelos—. Estás oliendo algo. Bueno, siento decepcionarte, pero esto obviamente ha sido un accidente. Aquí no hay ningún misterio.

—Probablemente tengas razón —dijo Zeke encogiéndose de hombros y añadió riendo—, pero no está de más echar un vistazo, ¿no?

Tommy puso los ojos en blanco.

—No voy a perder el tiempo buscando pistas inexistentes. Tengo hambre. ¿Alguien quiere ir a comer?

Los gemelos dijeron que no con la cabeza y Stacey comentó:

—Yo tengo que escribir un artículo sobre la familia Zambini para el periódico de la escuela. Esto va a salir en primera página —y bajando las gradas les gritó por encima del hombro—: Los buscaré cuando acabe.

Tommy hizo un ademán de despedida y se unió a la multitud que salía de la carpa. Jen y Zeke bajaron saltando por encima de los asientos y se metieron detrás del telón.

Detrás de la pista todo era un caos: los artistas se arremolinaban con sus trajes brillantes y se mezclaban con personas que parecían estar tan fuera de lugar como Jen y Zeke.

Jen divisó a Stacey con su libreta de notas y su bolígrafo, intentando abrirse paso entre la multitud que rodeaba a los Zambini.

Zeke tiró de Jen cuando esta intentó seguir a su amiga.

—Esperemos a que la multitud se disperse un poco.

Jen asintió. Retrocedieron de espaldas hasta que se toparon con unas barras de metal. Jen se dio la vuelta para ver qué los había detenido y estuvo a punto de gritar. En lugar de hacerlo, se quedó sin respiración y agarró el brazo de Zeke.

Zeke se sintió alarmado cuando su hermana se agarró de él y se dio la vuelta para mirar. ¡Estaban frente a la enorme cabeza del tigre blanco siberiano! Era un tigre gigantesco.

—¡Gatito! —dijo Zeke entre dientes retrocediendo rápidamente—. ¡Gatito!

El tigre abrió la boca como si fuera a bostezar, pero lanzó un tremendo rugido desde lo más profundo de su pecho. Jen se asustó y dio un traspié hacia atrás. El tigre se lamió los bigotes, parpadeó dos veces y dio tres vueltas alrededor de la jaula. Con cada paso que daba, se podía apreciar la elasticidad de sus músculos. Jen sabía que si el tigre tenía la oportunidad, podía arrancarle la cabeza de un solo mordisco. Se puso a temblar. ¡Menos mal que estaba detrás de esas barras de acero!

Terra se acercó corriendo, con sus verdes ojos relucientes.

—Lady —musitó con voz suave—, silencio, Lady—. Metió el brazo entre las barras y rascó la enorme cabeza del tigre.

Jen y Zeke se alejaron rápidamente. Cuando estaban a una distancia prudente, Zeke se sintió más tranquilo.

—Creo que yo podría ser un buen domador de tigres —le dijo a su hermana.

Jen arqueó una ceja, algo que había estado practicando desde hacía meses.

—Oh, ¿de verdad? Quizás después de que te dejen de temblar las rodillas.

La voz fuerte de Pierre se elevó por encima del ruido de la multitud. Los gemelos se dieron la vuelta para mirar.

—¡Fuera de aquí! —le gritó enfurecido el propietario del circo a una mujer, mientras se le arrugaba y se le enrojecía la calva de rabia.

Jen creyó haber reconocido el extraño color verde del cabello de la mujer. Efectivamente, cuando se dio la vuelta, Jen vio que era la Sra. Watson, su profesora de ciencias. ¿Qué estaba haciendo ahí y por qué estaba Pierre tan alterado? Antes de que pudiera averiguarlo, la Sra. Watson se perdió de vista.

Zeke tiró de Jen para que se escondiera detrás de otra jaula, agradecido de ver que no estaba llena de otro comeniños, sino simplemente de dos monos que parloteaban.

—No dejes que Pierre te vea —le advirtió—. No queremos que nos eche de aquí sin que tengamos la oportunidad de echar un vistazo.

Vieron a Pierre dirigirse a la jaula del tigre, donde reprendió a Terra por algo. Los hermanos estaban demasiado lejos para escuchar la conversación con el alboroto que había detrás del telón. Zeke avanzó poco a poco procurando permanecer oculto.

—Tiene que confiar en mí —dijo Terra con voz amenazante, entrecerrando sus ojos verdosos de gato—. Confíe en mí.

—Todo depende de ti —dijo Pierre nerviosamente mientras se estiraba un lado del bigote—. Tienes que sacar esto adelante, especialmente después de lo que ha sucedido esta noche, o nos arruinaremos.

Terra frunció el ceño y pareció más fiera que nunca.

—No se preocupe. Lo tengo todo planeado. Conseguirá su dinero.

—¡Más vale que así sea! —exclamó Pierre y se alejó rápidamente.

—¿Qué pasa? —le preguntó Jen a Zeke cuando se escabulleron entre la multitud para que Pierre no los viera.

—¡Creo que nada bueno! —dijo Zeke encogiéndose de hombros—. Eso es todo lo que sé.

Como la multitud había disminuido, Stacey había conseguido acercarse a los trapecistas. Jen y Zeke oyeron la voz clara y elevada de Stacey por encima del ruido de las atracciones.

—Sr. Zambini, ¿está usted bien? —le preguntó Stacey.

Jen y Zeke estiraron el cuello para ver a su amiga en acción.

El Sr. Zambini asintió con la cabeza.

—No ha pasado nada —dijo. Tenía un acento ligeramente extranjero—. Me duele un poco la pierna, pero mañana iré al médico y todo irá bien.

Stacey garabateó en su bloc y levantó la vista.

—¿Qué sucedió con la cuerda?

—No la revisé debidamente —dijo el Sr. Zambini compungido—. Se debe de haber desgastado de tanto usarla. Doy gracias que mi querida esposa y mis hijos no resultaran lesionados—. Y abrazó a su mujer que estaba a su lado.

Stacey continuó con la preguntas.

—¿Qué opina del hecho de que Terra y su tigre sean ahora el centro de atención del espectáculo?

El Sr. Zambini se puso rojo y, durante una fracción de segundo, su rostro se crispó como si fuera una máscara enojada, pero recuperó el control y sonrió fríamente.

—Eso tampoco es un problema. Los Fabulosos Zambini son simplemente eso, ¡fabulosos! ¡No hay nada mejor! No más preguntas.

Los espectadores ya se habían marchado y la sección que había detrás del telón estaba casi desierta. Una pareja de payasos conversaba a un lado y a Zeke le llamó la atención un hombre corpulento que estaba de pie en la sombra. No estaba seguro, pero parecía que el hombre llevaba un traje elegante con chaleco y una cadena de reloj que caía sobre su barriga redonda. Cuando el hombre levantó la mano derecha para ahuyentar un mosquito, Zeke vio un destello de diamantes en su dedo meñique.

—Vamos —dijo Jen distrayendo a su hermano por un instante. Cuando Zeke miró hacia atrás, el extraño personaje había desaparecido.

Zeke se dirigió hacia la salida arreglándoselas para pasar lo más cerca posible de la familia Zambini.

—Cuando William lo sepa, se va a preocupar.

La Sra. Zambini, con los ojos rojos y la nariz larga y estrecha, sorbía sus lágrimas y comenzaba a inquietarse. Los dos niños tenían la nariz de su madre y la barbilla puntiaguda de su padre.

El Sr. Zambini puso la mano sobre el hombro de su esposa.

—Llámalo entonces, si eso te hace sentir mejor —dijo bajando la voz—, y dile que no se preocupe por el dinero de la matrícula.

Jen le dio a Zeke un golpecito en la espalda para que caminara más rápido. Mientras se dirigían a la salida, divisaron a la Sra. Watson que, al parecer, intentaba pasar desapercibida en la sombra y se acercaba poco a poco a la jaula del tigre.

—¿Qué está haciendo? —preguntó Jen.

—Vamos a preguntárselo —sugirió Zeke.

Pero en ese instante, la Sra. Watson vio a los gemelos, frunció el ceño y desapareció detrás de varias cajas de granos de maíz que obviamente se guardaban ahí para hacer palomitas.

—¿Por qué huye de nosotros? —dijo Jen. Quería ir detrás de su profesora de ciencias.

Zeke la sujetó y señaló con la cabeza detrás de ellos.

—Quizás lo estaba mirando a él y no a nosotros.

Jen se dio la vuelta y tragó saliva. Pierre iba derecho hacia ellos con cara de pocos amigos.

3
¡Nada excepto el aire!

Los gemelos no esperaron a que Pierre les diera alcance. Salieron disparados, sin atender a los gritos de Pierre que les ordenaba que se detuvieran. Casi sin aliento, lograron salir de la carpa. El sol se había puesto y las luces de las atracciones brillaban.

—Allí está la Sra. Watson —dijo Jen señalando—. Vamos a averiguar qué hacía.

La siguieron y trataron de darle alcance, pero la multitud se interpuso. Cuando llegaron a un enorme círculo de personas que veían el número de un payaso cerca de la caseta del algodón de azúcar, la perdieron definitivamente.

—Le preguntaremos mañana en la clase —dijo Jen—. Probablemente esté metiendo las narices como nosotros —entonces sonrió—. O quizás esté buscando trabajo en el circo.

Zeke se echó a reír, pero dijo que no con la cabeza.

—No lo creo. De cualquier forma, todavía no hemos averiguado qué pasó con la cuerda del Sr. Zambini. No creo que haya sido un accidente.

—Regresemos al escenario —sugirió Jen—. Quizás encontremos alguna pista.

Sigilosamente se acercaron a la entrada de la carpa, temerosos de que Pierre saltara sobre ellos en cualquier momento para preguntarles qué estaban haciendo.

—¡No hay moros en la costa! —susurró Zeke.

Se metieron rápidamente en la carpa. En la pista no había ni un alma y daba un poco de miedo ahora que el reflector estaba apagado y las otras luces se habían atenuado. Muy arriba, las torres del trapecio se perdían en la oscuridad.

La enorme puerta azul que cubría la entrada a la parte de atrás se agitaba de vez en cuando, pero cuando Zeke y Jen entraron sigilosamente en la pista, vieron que no había nadie. El aserrín del suelo amortiguaba sus pisadas. Dieron una vuelta en direcciones opuestas, buscando pistas. Jen encontró la borla de uno de los ponis saltarines y una bola rosada de los malabaristas, pero eso fue todo.

—¿Encontraste algo? —susurró Jen cuando se reunió con Zeke en el otro lado de la pista.

Zeke negó con la cabeza.

—Algo que parecía excremento de elefantes —susurró con el ceño ligeramente fruncido—, pero eso es todo. Creo que estamos perdiendo el tiempo. Quizás podamos disfrutar de algunas de las atracciones antes de que tía Bee nos recoja.

Jen negó con la cabeza y miró hacia arriba.

—Tengo una idea.

Zeke la siguió hasta una de las torres del trapecio.

—¿Qué vas a hacer?

Jen puso la mano en el primer peldaño de la escalera que conducía a lo alto del mástil.

—Si subo hasta allí, quizás pueda inspeccionar la cuerda.

—¿Estás loca? —exclamó Zeke olvidándose de que no debía levantar la voz. El solo hecho de mirar hacia lo alto del mástil le daba mareos—. Que seas capaz de trepar a un árbol como un mono no quiere decir que puedas subir ahí. Podrías matarte.

Jen no le contestó. Antes de que Zeke pudiera darse cuenta, Jen estaba al menos a tres metros por encima de él, subiendo sin detenerse. A Zeke le sudaban las manos, mientras observaba nerviosamente a Jen desde abajo. Le hubiera gustado gritarle: "¡Bájate de ahí!", pero no quería sobresaltarla. En ese lado de la torre del trapecio no había red.

Jen trató de no pensar cuán lejos estaba del suelo.

—Mano, pie, mano, pie —iba repitiendo, mirando al frente. Sabía que si miraba hacia abajo estaba perdida.

Afortunadamente estaba en muy buena forma, gracias a las horas que pasaba jugando fútbol y *softball*, pero los nervios estaban minando su energía. Temía que sus piernas cedieran si no llegaba arriba pronto.

Justo cuando iba a darse por vencida y mirar hacia abajo, tocó la plataforma con la mano. Trepó al borde con mucho cuidado y descansó un buen rato sobre las manos y las rodillas.

—¿Estás bien? —le oyó decir a Zeke.

Respiró hondo y miró por encima de la estrecha plataforma.

—Estoy bien —le respondió. Zeke era simplemente una sombra oscura aproximadamente a un millón de kilómetros debajo de ella. Cerró los ojos. "No mires abajo", se recordó a sí misma.

Tratando de conservar la calma, se puso de pie lentamente. Todas las cuerdas del trapecio estaban atadas al mástil. Sujetándose con una mano del pequeño asidero que sobresalía del mástil, se inclinó hacia adelante, agarró las cuerdas y las acercó hacia ella. Se movieron un poco, pero no estaban lo suficientemente cerca como para poder examinarlas. Se dio cuenta de que debía soltar el pequeño asidero.

¿Era el mástil lo que se balanceaba o era su imaginación? "Agárrate", se dijo firmemente a sí misma. Se acercó poco a poco a la cuerda, soltando el mástil. Con mucho cuidado, agarró la cuerda rota y la examinó de cerca. Esto no había sido un accidente: habían cortado la cuerda.

—¡Oye! —gritó alguien desde abajo.

Jen se sobresaltó y resbaló. Buscó desesperadamente las cuerdas, el poste, algo para agarrarse, pero todo lo que sintió fue ¡el aire que pasaba vertiginosamente a su alrededor!

Sabotaje

Jen intentó gritar, pero el grito se le quedó atorado en la garganta. Dio vueltas en el aire cayéndose... cayéndose... De forma instintiva se encogió y se hizo un ovillo justo a tiempo. Fue a parar a la red que le pareció un trampolín muy grande. Cuando dejó de rebotar, se arrastró hasta el borde de la red, se inclinó, agarró la parte inferior, dio una voltereta y descendió suavemente sobre el sólido suelo.

Zeke la estrechó fuertemente entre sus brazos.

—Pensé que ibas a quedar hecha un panqueque.

Jen le devolvió el abrazo.

—Yo también lo pensé —admitió con una risa temblorosa—. ¿Quién fue el tonto que gritó?

—Fui yo —dijo un niño payaso. Tenía un traje de lunares y una enorme sonrisa pintada en la cara, pero

Jen pudo ver que debajo de su maquillaje fruncía el ceño.

—¿Qué estabas haciendo allí arriba? —preguntó el chico.

Jen sintió que se le erizaba la espalda.

—Solo quería comprobar algo. De todas formas, ¿quién eres tú?

El niño payaso entrecerró los ojos.

—¿Comprobar algo? —preguntó desconfiado—. ¿No estarías tratando de cortar las cuerdas?

—¡Claro que no! —exclamó Jen.

—Jamás haríamos eso —dijo Zeke antes de que su hermana pudiera decir algo de lo cual pudiera arrepentirse. Jen tenía la mala costumbre de meter la pata—. Simplemente queremos saber qué está sucediendo.

El payaso se tranquilizó y sonrió.

—Lo siento —dijo disculpándose—. Supongo que estoy un poco alterado por el accidente del Sr. Zambini. —El payaso se dio la vuelta hacia Jen—. Siento mucho haberte asustado. Pensé que quizás alguien estaba tramando algo malo. Me alegro de que estés bien. Oh, a propósito, me llamo Mitchell.

Los gemelos se presentaron y se preguntaron si podían confiar en Mitchell.

—Pensé que quizás la cuerda había sido cortada o algo por el estilo porque últimamente han estado sucediendo cosas extrañas —admitió Mitchell—. Cuando te vi allí arriba, lo primero que me pasó por la cabeza fue que el imbécil que las cortó había vuelto. De veras que lo siento.

—No te preocupes —dijo Jen aceptando su disculpa—. Simplemente querías proteger el circo. —Miró a Zeke y este asintió—. Y tenías razón. Antes de caerme vi la cuerda. Alguien la cortó con un cuchillo. Solamente un pequeño borde estaba deshilachado. También noté que había cinta adhesiva en la cuerda, como si la persona que hizo el corte la hubiera pegado para que nadie se diera cuenta.

—Y para que ninguno de los Zambini lo notara ahí arriba —añadió Zeke.

—Exactamente —asintió Jen—. Y estaban tan atentos al público que, obviamente, tampoco lo notaron. No hasta que fue demasiado tarde.

Mitchell se estremeció y su nariz azul y roja se bamboleó.

—¿Quién querrá llevar nuestro espectáculo a la ruina?

—Eso es exactamente lo que queremos averiguar —contestó Zeke—. ¿Conoces a alguien que quiera hacerles daño a los Zambini?

—Pero es que no son solamente los Zambini —dijo Mitchell rápidamente. Bizqueando les señaló su nariz—. Miren esto. Era roja, pero justo antes del espectáculo alguien echó pintura azul sobre todas las narices de los payasos en los camerinos.

—Pero eso no es tan terrible como cortar la cuerda de un trapecio —señaló Zeke.

—Quizás no les parezca terrible a ustedes —dijo Mitchell frunciendo el ceño—, pero a los payasos les importan mucho sus narices. Además, los trajes han desaparecido y, el otro día, el domador de avestruces encontró una punta de metal en la jaula de los avestruces. Afortunadamente ninguna de las aves resultó herida.

—Sin duda alguien está tratando de hacer daño al circo —dijo Zeke pensativo—. No hemos encontrado ninguna pista aquí, pero quizás deberíamos buscar en los camerinos. Dijiste que han estado sucediendo cosas allí también.

—Por supuesto —dijo Mitchell caminando adelante—. Les mostraré. He trabajado y he viajado con el circo toda mi vida. Mis padres son dos de los malabaristas. No sé qué haríamos si Pierre llegara a cerrar el espectáculo.

—Quizás podamos ayudar en algo —dijo Jen. No quiso decirle a Mitchell que habían resuelto con éxito otros misterios porque no quería darle demasiadas esperanzas.

El camerino de los payasos era un remolque largo que tenía pintadas en su exterior caras de payasos enormes y sonrientes. Adentro olía a maquillaje, sudor y calcetines sucios. Todos los payasos todavía estaban afuera con sus disfraces. Mitchell les dijo que parte de su trabajo era entretener a la multitud después del espectáculo y hasta la hora de cierre. Cuando las atracciones cerraban a las once de la noche, los siete payasos solían entrar ahí como locos para quitarse el maquillaje. Mientras hablaba, movía las manos señalando el lugar donde se cambiaban y los tocadores con espejos muy bien iluminados.

—Y, ¿ustedes no van a la escuela? —preguntó Zeke.

—No te preocupes, no podemos escaparnos de eso —dijo Mitchell arrugando la nariz—. Pierre contrató a un profesor que viaja con nosotros y da clases a todos los niños. Hay catorce niños en el circo.

—Estupendo —exclamó Jen.

Mitchell se encogió de hombros.

—Supongo que está bien, pero a veces me gustaría quedarme en un lugar más de una semana o de un fin de semana. Me gustaría vivir en una casa durante un mes y ver cómo es.

—Después de oír eso, supongo que no es tan estupendo —dijo Jen cambiando de opinión. No podía imaginarse lo que sería no vivir en la pensión con Zeke y tía Bee.

—Bueno —interrumpió Zeke—, ¿dónde guardan las narices?

Mitchell señaló el mostrador.

—Quienquiera que haya estropeado las narices, también derramó pintura azul sobre el mostrador.

—Y guardamos los trajes en este perchero —dijo Mitchell señalándolo—. Cada uno de nosotros tiene cuatro o cinco trajes porque sudamos mucho y no es bueno llevar puesto el mismo noche tras noche. —Sacó algunas perchas para mostrarles—. Estos son míos. Yo fui el primero en darse cuenta de que faltaba uno. Cuando lo buscamos, vimos que faltaban varios trajes. Todos los demás pensaban que los estaban lavando, pero cuando le preguntamos a Jack, el encargado de la lavandería, dijo que no los tenía.

—¿Quién podría querer disfraces de payaso? —preguntó sorprendida Jen. Luego añadió rápidamente—. Sin ánimo de ofender.

Mitchell sonrió.

—¿Quieres decir que no te gustaría ir a clases con esto?

Levantó un traje acolchado, rojo, blanco y azul y

dio unos golpecitos con su zapato supergrande fingiendo estar enojado.

—Ah, es muy patriótico —sonrió Jen—. Sinceramente, no me pondría eso ni muerta, claro, a no ser que fuera un payaso.

Mitchell también se echó a reír.

—Algunas veces me lo pongo para ir a la escuela... a la escuela de payasos.

Los gemelos empezaron a simpatizar con Mitchell que enderezó el perchero.

—Estos son trajes viejos —dijo señalando varios zapatos y disfraces al final del perchero—. Los trajes se gastan muy rápidamente al saltar y al rodar, pero a veces nos cuesta deshacernos de uno que nos gusta.

—Yo tengo camisetas así —dijo Jen asintiendo—. No me gusta deshacerme de ellas, pero tía Bee no deja que me las ponga.

—Nada de esto nos ayuda a descubrir quién quiere sabotear el circo —señaló Zeke—. Si no lo averiguamos pronto, ¡el próximo accidente podría ser incluso peor!

5
Un nuevo sospechoso

A la mañana siguiente, Jen metió sus libros en la mochila. La noche anterior, tía Bee los había recogido del circo para llevarlos a casa, y Jen y Zeke pasaron el resto del día haciendo sus tareas para la escuela.

—¿Por qué nos dan tareas cuando hay algo tan fascinante en Mystic? —le preguntó Jen a su gata Slinky. Slinky se limitó a bostezar—. Muchas gracias —dijo Jen riendo—. Eres una gran ayuda.

—¿Estás lista? —preguntó Zeke asomándose a la puerta.

Jen se puso la mochila al hombro y siguió a su hermano a la cocina. Allí cada uno agarró un bizcocho casero de arándanos y almendras.

—Vamos a ir en bici a la escuela —le recordó Jen a tía Bee.

Tía Bee asintió con la cabeza mientras sorbía su té de canela. Su cabello gris no estaba recogido en su trenza habitual y le caía suelto por la espalda.

—¡Que lo pasen bien! —les dijo con una sonrisa.

Zeke dio un salto y exclamó.

—Por supuesto que lo vamos a pasar bien. ¡Hoy es viernes!

—Baja la voz —dijo tía Bee en voz baja—. El Sr. Richards, el huésped que se registró ayer, está hablando por teléfono en el salón y ha pedido que no lo molesten. Estaba bastante contrariado porque no había teléfonos en las habitaciones de los huéspedes.

—¿No tiene un teléfono celular?

—Por lo visto, no —dijo tía Bee encogiéndose de hombros—, pero échenle un vistazo a su auto cuando salgan —dijo y sus ojos azules le brillaron—. Salgan de puntillas.

Zeke le indicó a Jen que lo siguiera. Podían haber salido por la puerta de atrás de la cocina, pero querían ver al Sr. Richards.

Cruzaron el salón sigilosamente, pero todo lo que pudieron ver fue su espalda y su pelo negro y brillante peinado hacia atrás.

—Eso es —decía el Sr. Richards—. Compre los cinco. Nunca se tiene demasiado.

Los gemelos siguieron caminando.

—Debe de ser banquero —susurró Jen.

Salieron y fueron al estacionamiento de la pensión. Zeke dio un silbido de asombro.

—Ciertamente tiene mucho dinero —dijo señalando un pequeño auto deportivo verde que estaba estacionado—. Debe de haberle costado una fortuna.

—Parece un insecto —comentó Jen perpleja—. ¿Qué es?

—¡Es un Lamborghini y vale cientos de miles de dólares!

Los hermanos pedalearon velozmente por la larga entrada de la pensión hasta la carretera que conducía a la ciudad. Algunos autos pasaron a su lado a toda velocidad. Cinco minutos después, Jen divisó un enorme camión blanco estacionado a un lado de la carretera con un triángulo negro pintado en un costado. El camión estaba muy limpio. El capó delantero estaba levantado y un hombre inspeccionaba el motor.

Zeke frenó.

—¿Necesita ayuda? —preguntó.

El hombre levantó la vista y sonrió, mostrando un un diente de oro.

—Por supuesto que la necesito, muchacho. ¿Sabes algo de motores de camiones?

—Yo no, pero el tío de mi amigo sí —dijo Zeke—. Tiene un taller mecánico un poco más abajo. Nosotros vamos en esa dirección y le podríamos decir que usted necesita ayuda.

El desconocido asintió y miró su reloj.

—Eso sería magnífico. De verdad que se lo agradezco. Ya se me ha hecho tarde.

—De nada —dijo Zeke sonriendo.

Jen se despidió del hombre cuando partieron. En cuanto llegaron al taller del tío de Tommy, se detuvieron y Zeke le transmitió el mensaje, tal como había prometido.

Burt, el tío de Tommy, era un hombre brusco que llevaba un overol cubierto de aceite. Le agradeció a Zeke, asintiendo con su cabeza medio calva. Jen sabía que no le gustaba que los niños merodearan por el taller y le pidió a Zeke que se marcharan de allí tan pronto como pudieran. Sabían que, aunque Tommy quería a su tío, él también se mantenía a distancia.

Finalmente, llegaron a la escuela. En el circo se veía gran actividad entre los empleados que alimentaban a los animales y los malabaristas que practicaban, vestidos con su ropa normal. Zeke notó que uno de los payasos ya llevaba puesto su disfraz y cojeaba ligeramente. Vio que la jaula del tigre estaba completamente cubierta con una tela dorada con borlas en los extremos. Se preguntó si Mitchell estaría en clases con sus amigos y el profesor que Pierre había contratado.

Las rejillas que servían para estacionar las bicis estaban cerca de la entrada del salón de clases. Zeke estacionó su bici sin molestarse en ponerle la cadena. El detective Wilson, un gran amigo suyo que ya estaba jubilado, les había dicho que en todos los años que había trabajado en la policía de Mystic, nadie había robado ni siquiera una bicicleta.

Jen estacionó la suya al lado de la de Zeke.

—Me pregunto qué sucede allí —dijo Jen mirando en dirección a un grupo de remolques donde se habían reunido los trabajadores del circo.

—Alguien está enojado por algo —dijo Zeke al escuchar una voz que denotaba enfado—. Echemos un vistazo antes de que suene la campana.

Se abrieron paso a través de la multitud que se agolpaba y llegaron hasta uno de los remolques. Desde afuera, todo parecía en orden, pero Pierre estaba en la entrada, gritando enojado, mientras su bigote se movía de arriba abajo con cada palabra que pronunciaba. Jen miró al propietario del circo. Estaba cubierto de manchas de pintura azul.

—Lo han arruinado —gritaba Pierre—. ¡Han arruinado todo lo que hay en mi remolque! ¡Hay pintura azul por todos lados! ¡Cuando pesque a ese vándalo, me las pagará!

Jen supo por la mujer barbuda que estaba a su lado que Pierre había salido de su remolque temprano por la mañana, pero que cuando regresó para recoger algo, se encontró con el desastre.

—Ya ha habido tantos incidentes —murmuró la mujer moviendo la cabeza.

—¿Es auténtica su barba? —le preguntó Jen sin poder contenerse.

La mujer se le acercó dando un paso.

—Por supuesto que lo es. ¿Quieres tirar de ella?

—Oh, no, gracias —dijo Jen y arrastró a Zeke a un lado para avisarle lo que la mujer le había dicho sobre la pintura del remolque.

—La pintura es definitivamente parte del misterio —dijo Jen—. Su barba es auténtica. Se lo he preguntado.

Zeke puso los ojos en blanco. ¿Cuándo aprendería su hermana a mantener la boca cerrada?

—Por lo menos este no ha sido un accidente grave —dijo Zeke refiriéndose al vandalismo—, pero Pierre se ha enojado mucho—. Entonces ladeó la cabeza y Jen casi pudo ver cómo sus orejas se aguzaban.

—¡Huy! ¡La campana! Más vale que vayamos a clases.

Corrieron hacia el edificio y se separaron para ir a sus respectivos salones de clases. Jen se apuró y llegó a su asiento justo cuando sonaba la campana que indicaba retraso.

—¿Dónde estabas? —le preguntó Stacey inclinándose hacia ella—. No estabas en el autobús.

—Vine en bici —dijo Jen jadeando.

Por los altavoces se oyeron los anuncios de la mañana. Jen revisó sus libros escuchando a medias lo que decía un estudiante sobre el menú del almuerzo de la siguiente semana, sobre el equipo de béisbol masculino y sobre los concursos de matemáticas por equipos. Tan pronto como los anuncios acabaron, Jen se levantó, lista para asistir a la primera clase, pero en ese momento se escuchó la voz de la directora.

—Un anuncio más —dijo la directora—. Como algo muy especial tanto para estudiantes como para profesores, hoy tendremos medio día de clases. Cada clase durará solamente veinte minutos y no se servirá almuerzo. ¡Que disfruten del circo esta tarde!

Se produjo una ovación en el aula. Jen vio que Stacey hacía una O con los labios.

—Tengo que llamar a tía Bee y decirle que hoy solo vamos a tener medio día de clases. Sabe que vamos a quedarnos en la feria, pero quiero decirle que saldremos antes de la escuela.

De camino a la clase, se detuvo en la oficina y pidió prestado el teléfono, pero la línea de la pensión estaba ocupada. También estuvo ocupada después de la primera clase. Y después de la segunda, de la tercera y de la cuarta. Por fin, a las once, entró su llamada.

—¿Quién estaba en el teléfono? —exclamó Jen—. ¡He estado llamando sin parar!

—El Sr. Richards —suspiró tía Bee—. Debe de haber llamado al menos dos veces a todos los países del mundo.

—¡Caray! Si yo me hubiera pasado todo ese tiempo en el teléfono, lo hubieras desconectado —dijo Jen moviendo la cabeza.

—Tienes razón —dijo tía Bee riéndose—. Ahora dime, ¿por qué llamas con tanta urgencia?

Jen le dijo a su tía que las clases se habían acortado y tía Bee les preguntó si tenían suficiente dinero para pagar el almuerzo y los boletos de las atracciones.

—No te preocupes, tengo suficiente—. Cuando colgó, se fue corriendo a la clase de ciencias.

La Sra. Watson asintió con la cabeza cuando Jen entró. Stacey ya le había dicho que Jen estaba llamando a su tía por teléfono.

—Como les decía —continuó la Sra. Watson—, es horrible la forma en que tienen a esos pobres animales de circo encerrados y los entrenan para hacer números absurdos.

—Pero son divertidos —dijo alguien.

La Sra. Watson se pasó los dedos por su cabello de color indefinido. Hoy tenía un poco de matiz anaranjado.

—No es divertido, es... es una agonía.

Nadie dijo nada.

—Especialmente ese pobre tigre siberiano, atrapado en una jaula como esa. Se supone que es un animal salvaje. Debería estar libre. De hecho, haría cualquier cosa para llevarlo a su propio medio ambiente. ¡Cualquier cosa!

Jen miró a su hermano que estaba sentado dos filas detrás de ella. Ambos arquearon las cejas. No era raro que se comunicaran por telepatía; hacía mucho tiempo habían llegado a la conclusión de que eso ocurría porque eran gemelos.

"¿Cualquier cosa?", pensaron los dos.

¡Huida!

Cuando la campana sonó a las 12:16, todos gritaron de júbilo. Jen y Stacey se reunieron con Zeke y Tommy y se fueron a las atracciones con los demás estudiantes de la escuela.

—¡Caray! —murmuró Stacey agitando sus rizos rubios—. ¡Qué cantidad de gente hay aquí!

—Vamos a la rueda de Chicago —sugirió Jen—. La cola no es muy larga.

En un abrir y cerrar de ojos, Jen y Stacey estaban sentadas en un banco que subía balanceándose hacia el inmenso cielo azul. Al principio, la rueda se detenía a menudo para que la gente bajara y subiera, pero después empezó a girar sin interrupciones.

—¡Ay! —dijo Stacey agarrándose a la barra que le cruzaba el regazo—. No sabía que esto subía tan alto.

Jen se echó a reír.

—Pero mira el panorama—. Miraron hacia todas las direcciones. El pueblo de Mystic se extendía a sus pies. Más allá de los edificios, se veían los campos y el oscuro bosque. Hacia el este se veía Main Street que conducía hasta el muelle y la bahía de Mystic. El Atlántico estaba en calma y brillaba a la luz del sol.

—¡Mira! Allí está la pensión —dijo Jen señalando el faro.

—Y allí está el viejo campo deportivo —dijo Stacey señalando con la cabeza hacia el sur—. Parece tan solitario y desierto.

Jen miró a su alrededor buscando el nuevo campo deportivo y el centro recreativo y lo señaló cuando lo encontró.

Las chicas encontraron los sitios principales antes de que la vuelta terminara. Se bajaron de la rueda antes que los chicos y esperaron a que Zeke y Tommy se reunieran con ellas.

—¡Ha sido estupendo! —dijo Tommy—. Se podía ver todo.

Pero Zeke no quiso quedarse allí hablando.

—Vámonos —dijo—. Algo anda mal.

Jen miró a su alrededor.

—¿Dónde?

—En la carpa —dijo Zeke por encima de su hombro, dirigiéndose hacia ella—. Lo vi desde la rueda.

Jen corrió detrás de su hermano, seguida de Stacey y de Tommy.

Cuando entraron en la sección que estaba detrás del telón, Jen tragó saliva. La tela dorada que cubría la jaula del tigre había desaparecido y ¡estaba vacía!

—¿Dónde está el tigre? —preguntó Tommy con voz temblorosa.

—¡Lady ha desaparecido! —dijo Terra, como si hubiera oído la pregunta de Tommy. Estaba con un grupo de policías cerca de la jaula—. Pero ¿cómo se ha salido?

—Alguien se la debe de haber robado —dijo uno de los oficiales.

—Pero eso es imposible —insistió Terra entrecerrando sus ojos gatunos—. Vine a verla esta mañana muy temprano y estoy segura de que cerré la jaula con llave. Nadie hubiera podido entrar ahí.

El policía se encogió de hombros.

—¿Tiene alguien más las llaves?

—No... —Terra se mordió el labio—. Bueno, en realidad, ayer perdí las llaves.

—Entonces, ¿cómo entró en la jaula esta mañana?

—Tengo un juego de repuesto —admitió Terra.

—Probablemente alguien le robó las llaves —dijo el oficial muy preocupado.

Terra sacudía la cabeza con escepticismo.

—Pero ¿quién querría robarse a Lady?

En ese momento, Pierre arremetió contra el grupo. Echó un vistazo a la jaula del tigre vacía y estalló.

—¿Dónde está mi estrella? ¿Dónde está mi tigre?

Un policía intentó calmarlo.

—No se preocupe. Encontraremos al felino. No hay muchos lugares para esconder a un tigre en Mystic.

Pierre estaba que echaba humo. Se dio la vuelta hacia Terra, la agarró del brazo y la llevó a un lado.

—Todo esto es culpa tuya —dijo entre dientes.

Zeke se preguntaba si alguien más pudo haberlos escuchado. Se esforzó por escuchar el resto.

—Si no encuentras a ese felino, no vas a tener trabajo ni aquí ni en ningún otro lugar. ¡Y me aseguraré de que así sea!

Terra, que antes parecía enojada, miró a Pierre con los ojos entrecerrados y se soltó de un tirón. "Se parece a Slinky cuando está enojada", pensó Jen. Stacey y Tommy parecían más interesados en observar a los policías que se comunicaban por radio con otros policías que estaban buscando a Lady en otro lugar.

—Dijiste que podía confiar en ti —continuó Pierre—. ¿Es esto parte de tu plan? ¿De dónde va a salir el dinero ahora?

Terra dijo algo en voz demasiado baja.

Pierre fulminó a la domadora con la mirada.

—¡Mejor! —Dejó libre a Terra y miró a su alrededor—. Los Zambini. Busco a los Zambini. Son todo lo que tengo ahora. ¿Dónde están?—. Como el Sr. Zambini no se presentó, Pierre se enojó aún más.

Finalmente alguien dijo:

—Creo que mi padre ha ido al médico a que le examine la pierna—. La niña que se presentó era la hija del Sr. Zambini, la más joven de los trapecistas.

—¿Cuándo regresará? —preguntó Pierre tirándose del bigote.

La niña se encogió de hombros.

—Usted dijo que esta noche no actuaríamos porque Terra y Lady iban a debutar con un número muy largo.

Pierre dio una patada al suelo.

—¡Esto es un desastre! —gritó agitando las manos en el aire y mirando al cielo—. ¡Todo esto es un desastre!—. Y se marchó sin mirar hacia atrás.

7
Una pista azul

Stacey salió corriendo detrás de Pierre y sacó su bloc de notas de la mochila.

—Voy a tratar de entrevistarlo —gritó por encima del hombro.

—Que tengas suerte —dijo Tommy hablando entre dientes—. Preferiría enfrentarme a un tigre hambriento antes que a Pierre. Hablando de hambre, estoy que me muero. ¿Alguien quiere comer?

Jen y Zeke se miraron y, luego, dijeron que no con la cabeza.

—Todavía no —dijo Zeke—, pero ve tú a comer. Nos veremos más tarde.

—Son sus estómagos, no el mío —dijo Tommy encogiéndose de hombros. Y se marchó corriendo en dirección a un letrero que decía: PERROS

CALIENTES, REFRESCOS, ALGODÓN DE AZÚCAR, PAN FRITO.

"O tu dolor de barriga", pensó Jen. A ella le gustaba la comida que vendían en la calle como a cualquier persona, pero no si existía la posibilidad de dar una vuelta en algún aparato después de haber comido.

Un policía que estaba cerca le informó a Terra:

—Por ahora no hay ningún rastro del tigre. Nadie lo ha visto...

—La ha visto —dijo Terra corrigiéndole.

—La ha visto u oído rugir o algo por el estilo. Tenemos a todo nuestro personal patrullando, trabajando horas extra. No se preocupe, encontraremos a Lady. Ahora, si no le importa, acompáñenos a la comisaría, nos gustaría hacer un informe.

Terra pareció nerviosa por un instante, pero luego esbozó una leve sonrisa y asintió.

La multitud ya se había dispersado. Jen y Zeke esperaron a que no hubiera nadie cerca de la jaula. Entonces entraron con sumo cuidado.

—Me pregunto quién le habrá robado las llaves a Terra —dijo Jen.

Zeke frunció el ceño.

—¿Crees que Terra realmente perdió las llaves o está encubriendo algo? ¿Recuerdas cómo le dijo anoche a Pierre que él recibiría el dinero? Me pregunto qué está pasando.

Jen escudriñó el interior de la jaula en busca de pistas.

—Desde luego que no parece completamente inocente, pero por otra parte, ¿de qué dinero habla Pierre? Si yo quisiera que alguien me diera dinero, no andaría gritándole.

—Quizás Pierre esté fingiendo —sugirió Zeke. Se puso en cuclillas para mirar más de cerca la paja que cubría el fondo de la jaula—. ¡Jen, ven aquí! —exclamó procurando no elevar la voz.

Jen fue a toda prisa y se agachó para mirar.

—¡Pintura azul del mismo color que las narices de los payasos!

—Y del mismo color que la pintura del interior del remolque de Pierre —dijo Zeke—. Definitivamente es la misma persona la que está detrás de todo esto.

Jen ladeó la cabeza.

—Quita un poco de paja.

Zeke la quitó.

—Ahora quita la paja de allí —le dijo Jen. Cuando Zeke lo hizo, ambos se quedaron con la boca abierta.

Zeke se levantó para ver mejor.

—¿Es eso lo que creo que es? —preguntó.

—Si piensas que parece la huella de una enorme pisada, piensas lo mismo que yo.

—Entonces, esto lo hizo un gigante o alguien que tiene zapatos grandes —dijo Zeke asintiendo.

—¡Los payasos!

—Exactamente. Vayamos a buscar a Mitchell.

Los hermanos se apuraron para atravesar la feria y llegar al remolque con caras de payasos. Llamaron a la puerta y Mitchell, que ya se había puesto su disfraz, la abrió.

—Hola, chicos —dijo. No parecía muy contento.

—¿Venimos en mal momento? —preguntó Jen.

Mitchell negó con la cabeza.

—¿Han oído lo que sucedió con Lady?

Los niños asintieron.

—Todos tienen miedo de que, sin su nueva estrella, Pierre cierre el circo. Hemos tenido dificultades económicas durante algún tiempo, pero Pierre esperaba que el tigre atrajera nuevos espectadores.

Jen miró a Zeke. "Entonces eso explica por qué Pierre quería dinero, ¿o no?".

Mitchell les hizo entrar en el remolque.

—De hecho, Pierre ha cancelado la función de esta noche porque no encuentra al Sr. Zambini. Su hija le dijo que había ido al médico. Supongo que anoche se lastimó la pierna cuando se cayó —dijo Mitchell desplomándose en una silla del camerino—. Estamos condenados al fracaso.

—Todavía no —dijo Zeke—. Si Jen y yo encontramos al tigre, todo irá bien en el circo, ¿verdad?

Mitchell los miró de arriba abajo.

—Desde luego, pero ¿qué pueden hacer ustedes? —preguntó agitando la mano mientras hablaba.

—Querrás decir, ¡qué es lo que no podemos hacer! —dijo Jen riendo.

Mitchell pareció contagiarse de su optimismo.

—¿Pueden dar la vuelta a la pista sobre sus manos?

—Me has pillado en eso—. La sonrisa de Jen se borró.

Mitchell dijo riéndose:

—No te sientas mal. Tardé muchos años y sufrí muchos golpes en la cabeza antes de aprender a hacerlo —pero luego se puso serio—. ¿Cómo van a encontrar ustedes al tigre si ni siquiera la policía lo ha encontrado?

—Ya hemos descubierto una pista que se les ha escapado —dijo Zeke—. En la paja encontramos la huella azul de una pisada que no vio la policía. Averiguaremos de quién es.

Mitchell frunció las cejas y agitó la mano.

— ¿Y eso para qué sirve?

—La huella era enorme —dijo Jen entrando en detalles— como la del zapato de un payaso. Y es azul, del mismo color que la pintura de las narices de ustedes.

—¿Así que uno de los payasos está intentando

llevar al circo a la ruina? —preguntó Mitchell—. No lo puedo creer.

—Si encontramos el zapato con pintura azul, sabremos quién está saboteando el circo y tiene el tigre —dijo Jen mirando la hilera de zapatos de los payasos.

Mitchell se puso de pie de un salto. Los tres dieron la vuelta a cada uno de los pares de zapatos.

—Aquí está —gritó Zeke sosteniendo un zapato amarillo grande.

—¡Qué raro! —dijo Mitchell moviendo la cabeza. Su pelo verde de payaso ondeó hacia adelante y hacia atrás.

—¿Raro? —repitió Jen—. ¿Por qué?

—Esos zapatos ya no se los pone nadie. Son como esos trajes que les enseñé ayer. Están gastados, pero todavía no están listos para ir a la basura. Estos zapatos eran de Petey, pero él ya ni siquiera trabaja en este circo.

Zeke frunció el ceño.

—¿Estás seguro de que no has visto a ninguno de los payasos con estos zapatos?

—Estoy seguro. —Mitchell puso la cara larga—. ¡Vaya pista que encontraron!

—Quizás no sepamos exactamente de quién se trata —dijo Jen intentando parecer alegre—, pero sabemos que es alguien que tenía esos zapatos de payaso.

—Me figuro que el saboteador fue primero al remolque de Pierre y se manchó...

—O la saboteadora —interrumpió Jen.

—Los zapatos —continuó Zeke— y luego fue a la jaula del tigre y se robó a Lady mientras todos estaban distraídos con el problema de Pierre. —Le hizo una señal a Jen—. ¿Recuerdas que nos acercamos al remolque de Pierre antes de ir a la escuela para ver qué había sucedido? Alguien pudo haber robado el tigre en ese momento y nadie se hubiera dado cuenta.

Mitchell asintió pensativamente.

—La verdad es que tiene sentido. Entonces, tenemos que buscar a un payaso que no es realmente un payaso.

—Exactamente —asintió Jen dándose cuenta de que esa tarea parecía casi imposible, pero no quiso darse por vencida. Justo entonces su estómago hizo un ruido muy fuerte—. Bueno, nos hemos perdido el almuerzo y ya es casi la hora de cenar. Mejor será que nos apuremos para ir a casa o tía Bee pensará que el tigre robado nos ha devorado.

Los gemelos se despidieron de Mitchell, recogieron sus bicis y se dirigieron a casa.

—Burt debe de haber remolcado el camión

averiado de ese hombre —comentó Zeke mientras se acercaban a la pensión.

—Sí, lo vi en su taller al pasar.

Siguieron pedaleando y jadeando mientras subían por la larga colina hasta la pensión. La luz del día se desvanecía y el sol iluminaba la parte superior de la torre del faro. El resto de la pensión estaba a oscuras.

—¿Quién es ese? —vociferó Jen intentando hablar y pedalear colina arriba al mismo tiempo.

Zeke, también sin aliento, levantó la vista para contestar. Dos figuras estaban hablando cerca de la puerta lateral de la pensión. No las alcanzaba a ver bien.

Al acercarse a la puerta, Jen miró a través de la creciente penumbra, intentando distinguir sus caras. Algo no andaba bien, parecía que querían pasar desapercibidos. Justo entonces, una de las personas levantó la cabeza y vio aproximarse a los gemelos. Jen tenía la certeza de que se trataba de un hombre. Entró en la pensión dejando sola a la otra persona.

La persona que quedó sola les sonrió levemente y se dirigió al camino por donde Jen y Zeke acababan de llegar.

—Ese era el camionero de esta mañana —dijo Jen cuando recuperó el aliento.

—¿Estás segura? —le preguntó Zeke. Le parecía

que estaba demasiado oscuro para distinguir la cara del hombre.

—Estoy segura —dijo Jen con firmeza—. Vi brillar su diente de oro.

Zeke negó con la cabeza mientras estacionaba la bici.

—¿Qué tendrá que ver el camionero con uno de los huéspedes de la pensión? —se preguntó en voz alta.

—No lo sé —dijo Jen bajando el pie de apoyo—, pero parecían bastante sospechosos.

8 El plan perfecto

Los gemelos se apresuraron a entrar esperando ver al desconocido misterioso, pero cuando llegaron al vestíbulo, un grupo de observadores de aves que estaban hospedados en la pensión salía para ir a cenar. Era imposible adivinar quién estuvo afuera un instante antes.

Contrariados, buscaron a tía Bee y la encontraron en el salón hablando con un hombre bien vestido que tenía el pelo negro y brillante. Los gemelos reconocieron al señor que habían visto esa mañana. Tía Bee les sonrió cuando entraron.

—Chicos, este es el Sr. Richards, uno de nuestros huéspedes.

El Sr. Richards se levantó para darles la mano. Zeke examinó al hombre. Había visto al Sr. Richards en el circo la noche anterior después del accidente del Sr. Zambini. Era el hombre del traje elegante. Zeke echó un vistazo a su meñique. Efectivamente, el Sr. Richards llevaba en el meñique un anillo de diamantes en forma de pirámide.

—Buenas tardes —dijo el Sr. Richards en tono amable, dándose unas palmaditas en su estómago redondo.

Jen se sintió tentada a hacerle una reverencia a este hombre elegantemente vestido. Se dio cuenta de que su ropa era cara. El Sr. Richards se sentó de nuevo y sonrió.

—El Sr. Richards me ha estado hablando de lugares fascinantes —dijo tía Bee—. Ha viajado por todo el mundo.

Jen notó por primera vez el maletín que estaba a los pies del hombre, cubierto de etiquetas de viajes. No era precisamente algo que un hombre de negocios bien vestido soliera llevar, pero quizás era una persona excéntrica. Jen observó atentamente las etiquetas.

—¿Ha estado usted en todos esos lugares? —le preguntó—. Sudamérica —leyó en voz alta—, Hawai, el Amazonas, Siberia, los Everglades, África. —Las etiquetas restantes estaban cubiertas parcialmente o eran demasiado pequeñas para leerlas de lejos—. Siempre quise ir a un safari en África.

—Yo he estado al menos en una docena de safaris —dijo el hombre riéndose.

—¡Guaaaauu! —Jen estaba realmente impresionada.

Zeke frunció el ceño. No podía imaginarse qué estaba haciendo este hombre con un camionero con un diente de oro, pero no cabía duda de que ninguno de los observadores de aves había estado hablando con el camionero. Zeke levantó la vista cuando otro hombre entró en el salón.

—¿Es cómoda su habitación? —le preguntó tía Bee al hombre alto.

Zeke se sorprendió de ver a Pierre el Magnífico.

—Está bien —refunfuñó Pierre—. Demasiadas flores para mi gusto —añadió frunciendo el ceño cuando vio a los gemelos.

Jen reprimió la risa. Su tía estaba acostumbrada a los huéspedes maniáticos y nunca se enojaba, por maleducados que fueran.

—Bueno, le van a limpiar su remolque en un abrir y cerrar de ojos y usted podrá regresar —dijo tía Bee con voz tranquilizadora.

—Otro gasto más —dijo Pierre entre dientes—. He tenido que cancelar el espectáculo de esta noche. ¿Sabe usted cuánto dinero estoy perdiendo? Mucho. Muchísimo —recalcó—. Y ahora nos falta Lady —dijo indignado moviendo la cabeza—. Ha desaparecido la estrella de nuestro espectáculo. —De repente, se animó un poco—. Pero menos mal que tenemos a la compañía de seguros *Big Top*.

Jen y Zeke se miraron.

—Me voy a acostar —continuó diciendo Pierre—. La vida en el circo comienza antes de que salga el sol. Buenas noches—. Se dio la vuelta bruscamente y salió dando fuertes pisadas.

Tía Bee se encogió de hombros.

—El pobre hombre no lo está pasando bien. Espero que solucione sus problemas.

El Sr. Richards asintió.

Los gemelos se excusaron y tía Bee les dijo que la cena iba a estar lista en aproximadamente media hora. Fueron a la habitación de Jen para hablar. Cada uno tenía una habitación y un baño en el faro. Tío Cliff, el marido de tía Bee, lo había remodelado para hacer la habitación de Jen en la primera planta y la de Zeke en la segunda. Una escalera de caracol subía desde el museo del faro en la planta baja, pasaba por las habitaciones y llegaba hasta la parte superior del faro. Desgraciadamente, tío Cliff había muerto hacía dos años, justo antes de la inauguración, por lo que no llegó a ver el éxito que había tenido la pensión.

A Jen le encantaba su habitación semirredonda. En las paredes había puesto carteles deportivos y de estrellas de fútbol y algunas fotos de gatos. Jen se dejó caer en su cama y abrazó a Slinky. Zeke se sentó en un puf que había cerca de la ventana.

—Entonces, ¿quién estaba hablando con el camionero? —preguntó Zeke cuando estuvieron sentados.

—No lo sé, pero estoy segura de que fue el Sr. Richards o Pierre —respondió Jen.

Zeke asintió.

—Eso tiene sentido porque no creo que haya sido ninguno de los observadores de aves. Pero ¿qué tiene que ver ese camión con cualquiera de los dos hombres?

—No logro entenderlo —admitió Jen—, pero tenemos que averiguarlo si queremos ayudar de alguna forma a este circo condenado al fracaso —y riéndose dijo—: y yo tengo el plan perfecto.

Zeke gruñó.

El sábado, temprano por la mañana, Jen golpeó suavemente la puerta de Zeke.

—¿Listo? —preguntó cuando él la abrió.

—Supongo que sí —dijo bostezando. Miró su reloj. Eran más de las siete, pero parecía mucho más temprano.

—Le avisé a tía Bee que íbamos a salir temprano para ir al circo —dijo Jen—. Me dijo que hoy no necesitaba ayuda para preparar el bufé del desayuno.

Los dos montaron en sus bicis y se deslizaron colina abajo. La neblina de la mañana era fresca y olía a océano. El sonido de las olas que se estrellaban contra los acantilados se oía amortiguado y las gaviotas buscaban algo que comer.

Pedalearon en silencio. No pasó ni un auto. Finalmente dieron la vuelta a la esquina donde estaba el taller mecánico del tío de Tommy. Como todavía estaba bastante oscuro, las luces de seguridad de afuera estaban encendidas, pero empezaron a parpadear y a apagarse automáticamente una a una.

Estacionaron las bicis en una calle lateral y regresaron sigilosamente al taller mecánico. Tenían que terminar lo que se habían propuesto antes de que Burt abriera el taller a las ocho.

—Allí está —susurró Jen señalando el camión blanco en la neblina.

Zeke asintió. Ambos fueron al camión. Jen se subió al peldaño que estaba junto a la puerta del conductor y quiso abrir la puerta. Estaba cerrada con llave. Se bajó de un salto mientras Zeke intentaba abrirla por el otro lado.

—¡Caray! —dijo Jen cuando se reunieron en la parte de atrás del camión—. ¿Cómo vamos a echar un vistazo si no podemos entrar?

—¿No te imaginabas que el camión iba a estar cerrado? —le preguntó Zeke.

—No, no me lo imaginaba —dijo mientras miraba a su hermano.

—Debería haberme imaginado que este no era el plan perfecto —dijo Zeke sacudiendo la cabeza. No había terminado de hablar, cuando oyó un chirrido. Se dio la vuelta y vio que Jen estaba levantando lentamente la puerta de atrás del camión.

—¡No han cerrado la parte de atrás! Sabes, esto era parte de mi plan —dijo sonriendo burlonamente.

—Sí, claro.

Fuera o no parte del plan, los dos pudieron deslizarse por debajo de la puerta rodante. El interior del camión estaba oscuro.

—¿Ves algo? —le preguntó Jen.

—En realidad, no —dijo Zeke entrecerrando los ojos—. ¿Qué es todo esto que hay en el suelo?

Zeke oyó que algo crujía. Entonces, Jen dijo:

—Creo que es paja o heno.

—Mira aquí —dijo Zeke. En la penumbra lograron distinguir dos enormes contenedores de plástico vacíos—. ¿Para qué son?

Jen observó los contenedores. Luego tomó un pedazo de paja entre los dedos.

—Estoy segura de que este camión es para el tigre.

Zeke estaba a punto de protestar, pero cuanto más pensaba en eso, más perfecto le parecía.

—Es verdad, porque lo vimos la mañana en que robaron el tigre.

—Pero se averió —continuó diciendo Jen— y no pudo llevarse al tigre.

—Entonces, el tigre debe de estar en algún lugar de Mystic.

—Pero ¿dónde? Quienquiera que sea el que lo robó, no pudo llevárselo demasiado lejos. Quizás usaron una de las furgonetas del circo para llevarlo a algún sitio, pero esas furgonetas son demasiado pequeñas para transportar a Lady muy lejos. Solo sé que a mí no me gustaría tener un tigre asustado en el asiento trasero.

—¡Silencio! —dijo Zeke de repente.

Jen escuchó voces. Reconoció la voz grave de Burt, el tío de Tommy.

—Le dije que el camión iba a estar listo cuando estuviera listo —decía Burt en algún lugar cercano.

—Pero lo necesito *ahora*.

—Todavía no está listo —dijo Burt.

El otro hombre suspiró frustrado.

—Entonces, ¿cuándo?

—Regrese hoy a las cinco y media.

—¿Tan tarde?

—Si me sigue haciendo perder el tiempo —gruñó Burt—, no estará listo hasta el lunes. Mañana cierro.

—Más vale que esté preparado para las cinco y media —le dijo el hombre amenazándolo—, ¡de lo contrario, ya verá!

9
Sin control

Las voces se apagaron cuando Burt abrió la oficina.

—Salgamos de aquí —dijo Jen.

Los hermanos se deslizaron por debajo de la puerta del camión y la cerraron sin hacer ruido. Cruzaron agazapados el estacionamiento y se escondieron detrás de los autos y camiones que estaban allí para ser arreglados. Casi sin aliento, doblaron velozmente la esquina y se subieron de un salto a sus bicis. No redujeron la velocidad hasta que llegaron a Main Street. Del Café Mystic salían olores deliciosos.

—Vamos a comer algo —sugirió Jen—. De todas maneras, es demasiado temprano para ir al circo.

Zeke asintió con entusiasmo. Tía Bee podría ser la mejor cocinera de la ciudad, pero el Café Mystic era famoso por sus bizcochos de miel y ni siquiera tía Bee se atrevía a competir con ellos.

En la cafetería, los hermanos se sentaron en un cubículo junto a la ventana. Pidieron jugo de naranja recién exprimido, una ración doble de bizcochos de miel para Zeke y un *bagel* con sésamo tostado y crema de queso con verduras para Jen.

Mientras esperaban que les sirvieran, empezaron a conversar en voz baja. La cafetería estaba llena por las mañanas y no querían que los escucharan.

Jen se inclinó hacia adelante con los codos sobre la mesa.

—Entonces, si terminan de arreglar el camión a las cinco y media y es realmente para transportar al tigre, tenemos poco tiempo—. Echó un vistazo a su reloj. Apenas eran las ocho.

—Tenemos que resolver este caso... rápido —dijo Zeke asintiendo.

—Sabemos quién es el camionero, pero incluso si le contamos a la policía nuestras sospechas, no podrán arrestarlo sin tener pruebas.

—Tienes razón. Tenemos que encontrar alguna prueba.

—Lo que tenemos que hacer es encontrar a Lady —dijo Jen preocupada.

—Es cierto —dijo Zeke—. Sabemos que un huésped de la pensión está involucrado porque vimos al camionero hablando con alguien.

—Debe de haber sido Pierre o el Sr. Richards —razonó Jen en voz alta—. El resto de los huéspedes pertenece a una organización de observadores de aves. Estoy segura de que ellos no quieren un tigre.

—Pero ¿por qué iba a robar Pierre su propio tigre?

—¿Qué podría hacer el Sr. Richards con un tigre?

En ese instante, llegó la comida y durante un rato estuvieron demasiado ocupados comiendo para hablar. Cuando acabaron, decidieron que todavía era demasiado temprano para ir al circo y se dirigieron al muelle de Mystic. A Zeke le encantaba navegar y disfrutaba mirando los yates y los barcos de vela amarrados a los muelles.

Después de un rato, Jen se sorprendió cuando miró su reloj y vio que ya eran las diez. Llamó a Zeke, que estaba hablando con el capitán del *Rakassa*, un barco de vela de veinte metros de eslora.

Zeke le hizo una seña con la mano para darle a entender que la había oído y, unos minutos después, fue donde Jen lo esperaba, sentada sobre un pilote.

—Joe me dijo que me llevaría a dar una vuelta en el *Rakassa* más tarde —dijo sonriendo.

Jen puso los ojos en blanco. A ella no le gustaba navegar, se mareaba.

—Y, ¿qué hay del caso? —le preguntó—. Tenemos solo hasta las cinco y media para resolverlo. No tienes tiempo para dar una vuelta.

Zeke sabía que su hermana tenía razón. Lo más importante ahora era encontrar a Lady y averiguar quién la había robado. Echó una última mirada nostálgica al bonito velero. Le hubiera gustado pasar todo el día navegando.

—Vamos —le dijo Jen arrastrándolo.

Subieron por Main Street y doblaron a la izquierda en Fuller Road y luego, a la derecha en School Street. En el pintoresco circo había mucha bulla por la música y parecía que todas las atracciones estaban ya funcionando. Jen y Zeke daban vueltas entre la multitud y mantenían los ojos bien abiertos, atentos a cualquier cosa que pudiera parecer sospechosa.

—Hola —les dijo un chico que parecía de su misma edad. Llevaba una camiseta blanca y azul y pantalones cortos rojos. Su pelo castaño estaba peinado hacia atrás, como si todavía estuviera húmedo.

—Hola —le respondieron los hermanos, sin reconocerlo.

El chico les sonrió.

—¿Qué se traen entre manos? —dijo haciendo un ademán con su mano derecha, mientras que en su mano izquierda equilibraba un pastel de café envuelto en una bolsa de plástico.

Jen y Zeke se miraron. "¿Quién era este niño? ¿Lo conocían de la escuela?"

—Este... —dijo Zeke— simplemente estábamos, sabes, echando un vistazo a las atracciones.

—Suban a las sillas voladoras —les dijo el chico. Y agitó nuevamente la mano derecha.

De repente, Jen se echó a reír.

—¡Mitchell! —exclamó.

—¿Eh? —los ojos del chico se abrieron.

Entonces Zeke también cayó en cuenta.

—Mitchell, no te habíamos reconocido —admitió—. Sin tu maquillaje de payaso eres totalmente diferente.

—¿Quieren decir que ni siquiera me reconocieron? —preguntó Mitchell con una gran sonrisa.

—No, hasta que reconocí la forma en que mueves la mano cuando hablas. Nunca te habíamos visto sin peluca, sin traje y sin maquillaje —dijo Jen.

—Me había olvidado de eso —dijo Mitchell echándose a reír—. Oye, voy a llevar este pastel de café al remolque del Sr. Zambini. Lo hizo mi mamá porque lamenta lo de su accidente. La Sra. Zambini le dijo que su esposo estaba en el remolque, descansando. ¿Quieren venir?

—¿Por qué no? —dijo Zeke encogiéndose de hombros.

Fueron detrás de Mitchell por una zona acordonada donde había un letrero que decía RESTRINGIDO — SOLO PERSONAL DEL CIRCO. Mitchell los llevó a un conjunto de remolques.

—Aquí vivimos —les explicó Mitchell—. El remolque de Pierre está allí, pero supongo que eso ya lo saben. —Les hizo señas indicándole otra dirección—. Yo vivo por ahí y este es el remolque de los Zambini.

No pasaba desapercibido. Estaba pintado de morado oscuro con unas letras doradas escritas de un lado a otro que decían ZAMBINI. Mitchell llamó a la puerta. Nadie contestó.

—Quizás se haya quedado dormido —insinuó Jen.

—Quizás —asintió Mitchell. Movió el picaporte y la puerta se abrió.

—Dejemos esto dentro, sobre la mesa de la cocina. No tenemos que despertarlo.

Entraron al remolque caminando de puntillas y sin hablar. Jen se sorprendió de ver lo mucho que podía caber en un espacio tan pequeño. Había una cocina con un fregadero, un refrigerador y un horno, una zona para comer y una sala de estar con una alfombra verde. La puerta del baño estaba abierta y más allá había dos puertas, también abiertas.

—Los dormitorios están allá —dijo Mitchell moviendo los labios y señalando mientras ponía el pastel sobre la mesa.

Jen se dio la vuelta y vio el mostrador cubierto de montones de cartas abiertas. Le pareció que los sobres contenían facturas. En una hoja rosada que sobresalía de un sobre, Jen leyó "Último aviso" en letras en negrita a lo largo de la parte superior. Sintiéndose culpable por estar espiando, se acercó hacia la puerta.

Zeke, que iba detrás de ella, vio un jarrón con flores sobre una mesa lateral con una tarjeta que decía "Que se mejore pronto". Una de las flores era una azucena. Quiso alejarse lo más pronto posible, pero ya era demasiado tarde. La nariz comenzó a picarle. Las azucenas siempre lo hacían estornudar. Trató de apretarse la nariz para detener el cosquilleo, pero no funcionó. Le salió un estornudo muy fuerte. Los tres se miraron esperando que, de un momento a otro, el Sr. Zambini saliera somnoliento de su habitación, pero no ocurrió nada.

—O tiene el sueño muy pesado —dijo Zeke limpiándose la nariz— o no está aquí.

—De cualquier manera, será mejor que salgamos de aquí —dijo Jen.

Fue la primera en salir del remolque.

—Todavía me queda un ratito antes de ponerme el traje —dijo Mitchell—. Vamos a subir a las sillas voladoras, invito yo.

—Claro —dijo Zeke. Una vuelta no les venía mal,

pero después tenían que ponerse a investigar seriamente. Antes de que se dieran cuenta, les iban a dar las cinco y media.

Jen puso mala cara. Si se mareaba en los barcos de vela, ya podía imaginarse lo que iba a sentir en las sillas voladoras.

La cola para subir a las sillas voladoras era larga. El joven del bigote rubio caído que estaba a cargo del aparato dijo que el operario que solía ocuparse de él se había enfermado esa mañana y que les había costado mucho encontrar un sustituto. Dejó que Mitchell se pusiera primero en la cola y todos subieron gratis. Se sujetaron con correas en un pequeño compartimento, justo antes de que comenzara el recorrido. Empezaron a dar vueltas muy despacio. Jen sonreía. Después de todo, no estaba tan mal, pero luego comenzó a girar más y más rápido. No era solo el compartimento lo que daba vueltas, sino también todo el aparato. Jen comenzó a sentirse mal, pero Zeke y Mitchell lo estaban pasando muy bien. El aparato siguió dando vueltas cada vez más rápido. Jen cerró los ojos rogando que el viaje terminara pronto, pero no se detenía. Al contrario, incluso parecía que giraba más rápidamente. Y ahora también iba dando tumbos de arriba abajo.

Hizo un esfuerzo para abrir los ojos y el temor se apoderó de ella, no porque Zeke también se estuviera poniendo mal, sino por la expresión de terror que Mitchell tenía en la cara.

¡Definitivamente algo no andaba bien!

—¡Estamos girando sin control! —gritó Mitchell.

10
El asunto del millón de dólares

Jen sintió que se iba a desmayar si el mecanismo no se detenía. Además de las vueltas y los tumbos, ahora había un sonido muy fuerte. "¿Y si el operario no supiera cómo detenerlo? ¡Seguirían dando vueltas sin parar!"

En el mismo instante en que estos pensamientos le pasaban por la cabeza, el sonido y los tumbos se detuvieron repentinamente. La velocidad empezó a disminuir, pero les pareció que tardaba una eternidad. En cuanto se detuvo completamente, Mitchell soltó la correa que los sujetaba.

—Quisiera saber qué ha sucedido —dijo sacudiendo la cabeza para quitarse el mareo.

Jen salió como pudo. Le temblaban las piernas y, por un momento, creyó que se iba a caer de bruces.

Zeke la agarró del brazo para que no se cayera.

Pasaron junto al operario que estaba inspeccionando las palancas del mecanismo con dos hombres con overoles grises.

—Esos dos son los mecánicos del circo —les dijo Mitchell cuando pasaron junto a ellos.

Uno de los mecánicos se rascó la cabeza y dijo:

—Parece que alguien ha bloqueado esta palanca intencionadamente.

—¿Has oído eso? —le dijo Jen a Zeke llevándolo a un lado.

—Otro sabotaje —asintió Zeke.

Mitchell dijo que tenía que ir a ponerse el maquillaje de payaso y se despidió. Mientras caminaban, Jen y Zeke continuaron conversando.

—Pero ¿quién querrá sabotear un aparato? —se preguntaba Jen.

—Hasta ahora hemos tenido el accidente de Zambini —comenzó Zeke levantando un dedo y luego otro— y pintura en el remolque de Pierre.

—El robo de Lady —añadió Jen— y no olvides las narices de los payasos y la punta de metal en la jaula de los avestruces.

—Y ahora este aparato —dijo Zeke moviendo la cabeza—. Hay algo que no cuadra. Vamos a casa. Tengo una teoría y quiero mirar algo en la Internet.

* * *

En cuanto regresaron a la pensión, los gemelos buscaron a tía Bee para avisarle que ya estaban en casa. Cuando se acercaron al salón, Zeke se puso un dedo sobre los labios. Jen oyó que alguien hablaba. Reconoció la voz del Sr. Richards. Los hermanos caminaron de puntillas para no molestarlo. Tía Bee siempre les recordaba que era fundamental que los huéspedes se sintieran como en su casa y que pudieran hablar por teléfono sin ser molestados o que, incluso, pudieran dormir una siesta en el salón, si así lo deseaban.

El Sr. Richards levantó la vista y sonrió al verlos.

—Hoy por la tarde. No se preocupe —dijo en el auricular y colgó mientras su anillo de diamantes brillaba intensamente—. ¿Qué andan haciendo, chicos?

—Buscamos a nuestra tía —dijo Zeke encogiéndose de hombros.

—Slinky, basta —dijo Jen cuando su gata empezó a ronronear y restregarse en el traje azul oscuro del Sr. Richards. La gata no solía simpatizar con los huéspedes tan rápidamente.

El Sr. Richards se puso a reír.

—No te preocupes. Me encantan los gatos y echo de menos a los míos—. Le pasó la mano por la cabeza y Slinky ronroneó incluso más fuerte.

Los tres se echaron a reír.

—Creo que su tía dijo que iba a salir a pasear —dijo el Sr. Richards.

Jen sabía que a su tía le encantaba caminar por el acantilado, mientras la brisa salada del océano hacía volar su largo cabello gris. Quizás salió por una hora o más. Los gemelos se excusaron y subieron rápidamente a la habitación de Zeke, donde este encendió la computadora y se metió en la red.

—¿Qué estás buscando? —le preguntó Jen dejándose caer en una silla que arrimó a la de Zeke. Todavía le temblaban un poco las piernas.

—He memorizado el número de la matrícula del camión. Quiero ver si puedo averiguar de quién es.

Jen apenas podía seguir los dedos de Zeke que se movían rápidamente por el teclado y la forma en que movía el ratón. Después de unos diez minutos, Zeke se echó hacia atrás y sonrió.

—Echa un vistazo a esta página de la red que busca matrículas gratuitamente y lo hace en solo unos segundos...

Jen se inclinó hacia adelante, sintiendo cosquillas en los dedos de las manos y los pies por la expectativa.

—¿Y de quién es el camión?

Zeke levantó la mano.

—Espera un momento. La computadora todavía está buscando.

Se quedaron mirando la pantalla. Finalmente apareció una nueva imagen con el número de la matrícula, el estado en que fue matriculado y el nombre del propietario.

—¿El Grupo Pirámide? —leyó Jen en voz alta—. ¿Qué es eso?

Zeke frunció el ceño.

—Es la compañía propietaria del camión. Seguramente por eso hay un triángulo negro pintado en uno de los lados. —Sus dedos volaron nuevamente por el teclado. Derrotado, se echó hacia atrás—. El Grupo Pirámide debe de ser la única compañía del mundo que no tiene un sitio en la red. Por lo tanto, no podemos averiguar nada ni descubrir quiénes son los propietarios.

—Un callejón sin salida —refunfuñó Jen.

—Ojalá que no lo sea para Lady —dijo Zeke en tono serio trabajando nuevamente sobre el teclado—. Busquemos la Compañía de Seguros *Big Top*. Recuerdo que Pierre la mencionó.

Encontraron la página fácilmente y leyeron la descripción de la compañía: "Seguros para todos los espectáculos, grandes o pequeños. Ponga su confianza en nosotros. ¡Si usted pierde, nosotros le pagamos!"

—Debe de ser la compañía de seguros de Pierre —dijo Jen—. Me pregunto si obtendría algún dinero por perder a Lady.

Jen miraba por encima de su hombro cuando Zeke hizo "clic" en un icono de información sobre seguros. Ambos lo leyeron en silencio.

Entonces Zeke silbó.

—El seguro para algunas especies de animales puede llegar a un millón de dólares —exclamó.

Jen quedó muy sorprendida.

—Ciertamente eso le da a Pierre motivo para robar a Lady. De otro modo, tardaría meses o años en conseguir ese dinero con las ventas de las entradas. Todo lo que tiene que hacer es deshacerse de Lady, cobrar el dinero del seguro y ya está.

Zeke pensó un momento y frunció el ceño.

—Pero todavía no hemos averiguado qué tienen que ver esos incidentes y el vandalismo con la desaparición de Lady.

—¿Estará intentando cobrar el dinero del seguro por todo lo malo que está sucediendo?

—Eso no tiene sentido. Si quiere que la compañía de seguros pague lo de Lady, no creo que se arriesgue a que la compañía de seguros cancele su póliza si ocurren demasiados accidentes.

Jen asintió. Zeke tenía razón.

—Y no explica las huellas de payaso que encontramos en la jaula. Cuando se robaron al tigre, Pierre estaba muy ocupado con lo de su remolque pintarrajeado.

Durante un largo instante, los dos permanecieron en silencio, intentando poner en orden las pistas.

—Lo mejor sería que encontráramos a Lady —dijo Jen levantándose—. Vamos, tenemos que ir a buscarla. Si la encontramos, sabremos quién se la llevó.

Bajaron corriendo por la escalera de caracol del faro, se detuvieron en la cocina y se llevaron sándwiches para el almuerzo. Jen tenía idea de dónde podían buscar a Lady. Cuando iban en sus bicis rumbo a la ciudad, le dijo a Zeke:

—La vieja casa embrujada de Front Street podría ser un lugar perfecto para esconder a un tigre. Nadie se acerca a ese lugar tenebroso.

—Pero si Lady rugiera, alguien podría oírla.

—Bueno, vale la pena que lo intentemos.

Cuando llegaron a la ciudad, se dirigieron a Front Street y bajaron en dirección sur hasta llegar al número 502, la vieja mansión Murray. Se detuvieron y observaron las aristas puntiagudas del tejado, las tejas que se desmoronaban, las persianas de las ventanas que faltaban o que estaban rotas y la pintura gris que se caía.

Jen se estremeció. Después de todo, quizás estar aquí no era tan buena idea.

Zeke respiró profundamente.

—Vamos —dijo aparentando mucho más valor del que sentía.

Dejaron sus bicis en la acera y entraron por la verja chirriante de la entrada. Tan pronto se metieron en la mansión, el sol se ocultó detrás de una nube y todo se volvió aún más sombrío. Las escaleras crujieron cuando subieron al porche destartalado. Un tablón del porche, que todavía estaba asegurado con pernos al tejado, se mecía con la brisa.

—¿Crees que esto es seguro? —preguntó Zeke.

—No —admitió Jen—, pero tenemos que encontrar a Lady antes de que sea demasiado tarde.

En la entrada no había puerta, por lo que era fácil entrar en la casa. Los techos altos y las cortinas oscuras y polvorientas que cubrían las ventanas le daban a Jen la impresión de que estaba entrando en una cueva. Necesitó un momento para que sus ojos se acostumbraran a la oscuridad.

Escucharon un crujido arriba. El corazón de Zeke palpitaba con fuerza.

—¿Qué fue eso? —dijo entre dientes.

Escucharon otro crujido seguido de un golpe sordo.

Con los ojos desorbitados, Jen se dirigió a Zeke.

—O es Lady o es un fantasma —dijo tragando saliva.

11

¿Embrujada?

Los gemelos ladearon la cabeza y aguzaron el oído.

—Tenemos que ver qué es —susurró Jen después de unos segundos de absoluto silencio y se dirigió hacia la amplia escalera que conducía a la penumbra del primer piso. Subieron lentamente, mirando y escuchando todo el tiempo. Se detuvieron en el primer piso y escucharon.

Zeke oyó que algo se arrastraba por el pasillo de la izquierda. Lo señaló. Jen asintió y los dos caminaron en esa dirección. ¿Qué pasaría si se encontraban cara a cara con un tigre hambriento? Jen apretó los dientes y siguió caminando. Escuchó nuevamente el sonido. Se hacía cada vez más fuerte.

De repente, Jen pisó una tabla suelta que chirrió como un gato asustado y le produjo escalofríos desde la punta de los pies hasta la cabeza.

—¡Buen comienzo! —susurró Zeke.

El sonido cesó. Entonces oyeron el sonido de unos pies que corrían. Jen y Zeke atravesaron velozmente el pasillo que iba hasta un segundo tramo de escaleras. Antes de que pudieran bajar por las escaleras, escucharon un golpe en el piso de abajo.

Jen corrió a una de las elevadas ventanas polvorientas y miró hacia el patio trasero. Dio un grito ahogado.

—¡Es la Sra. Watson!

Los dos gemelos vieron cómo su profesora de ciencias corría por el jardín y se escabullía por un hueco de la cerca trasera. Antes de desaparecer, la Sra. Watson echó una última mirada asustada a la mansión.

—Me pregunto qué estaba haciendo aquí —dijo Jen.

—Ha estado husmeando mucho —dijo Zeke—. Debe de estar tramando algo.

Buscaron en el resto de la casa, pero no encontraron a Lady, ni a ningún fantasma, para su alivio.

Cuando salieron, necesitaron algunos minutos para que sus ojos se acostumbraran a la brillante luz del sol. Cuando pudieron ver nuevamente, recorrieron en bici todas las calles con los ojos abiertos en busca de cualquier lugar que pudiera ser un escondrijo para Lady.

Jen dio un resoplido de indignación cuando llegaron a Main Street.

—Quizás estemos completamente equivocados con respecto a lo que está sucediendo. Quizás Lady simplemente se escapó y el camión es para llevar cabras o algo por el estilo.

Zeke le echó una mirada a su hermana.

—¿Estás bromeando? Hasta el momento hemos reconstruido las pistas perfectamente. Todo tiene sentido.

Pasaron por el Café Mystic y luego por la lavandería y el salón de belleza de las Hermanas Smith. Justo cuando cruzaban Front Street, Zeke dio un silbido. El imponente auto deportivo del Sr. Richards estaba estacionado frente a la tienda de mascotas Perfect Pets. Relucía bajo la luz del sol. Tuvo que detenerse para admirarlo de cerca.

—¡Es absolutamente magnífico! —exclamó Zeke.

—Sí, y solo se necesita un millón de dólares para comprarse uno —dijo Jen con sequedad. Miró alrededor—. Me pregunto dónde estará el Sr. Richards. —Entonces lo divisó en Perfect Pets—. Vamos a ver qué está comprando.

Apoyaron sus bicis contra la pared y entraron en la tienda. Algunas personas miraban los gatos persas. Un niño le rogaba a su padre que le comprara un dogo. El Sr. Richards estaba de pie, cerca del mostrador, con un enorme pájaro de color azul y amarillo brillante sobre su brazo.

—Bonito papagayo —dijo Zeke acercándose hasta él.

El Sr. Richards se dio la vuelta y les sonrió a los gemelos.

—Es un guacamayo. Nunca había visto uno con una mezcla tan bonita de colores y ojos tan brillantes.

Como si el pájaro supiera que estaban hablando de él, inclinó la cabeza y graznó con fuerza.

Jen se echó a reír.

—¡Vaya bulla que hace!

—Oh, eso no es nada —dijo el Sr. Richards—. Cuando hay treinta aves juntas en una pajarera, ¡eso sí que es bulla!

—¿Treinta de estos? —preguntó Zeke.

El Sr. Richards asintió con la cabeza.

—No puedo dejar de comprarlos. Mi colección de animales salvajes no hace más que crecer —dijo pagando por el ave. Luego les preguntó a los hermanos si necesitaban que los llevaran a la pensión.

Zeke gruñó.

—No puedo, tengo mi bici aquí.

—Entonces, quizás en otra oportunidad. Hasta luego —dijo el Sr. Richards.

Jen y Zeke lo siguieron y lo vieron depositar la jaula en el asiento del pasajero y salir disparado.

—Quizás sea mejor que nosotros también vayamos a casa. No hemos averiguado nada más y se nos está acabando el tiempo —dijo Jen suspirando.

—Necesitamos hacer fichas de sospechosos —dijo Zeke—. Es la única forma de poner en orden todo y a todos.

De regreso en la pensión, los hermanos se pusieron cómodos en la habitación de Zeke. Jen agarró un par de bolígrafos y varias hojas de papel y comenzó a escribir.

Ficha de sospechoso

Nombre: PIERRE, EL MAGNÍFICO

Motivo: QUIERE QUE SU ESPECTÁCULO SEA EL MÁS GRANDE Y EL MEJOR. ¿CON EL DINERO DEL SEGURO?

Pistas: ¿Por qué querría robar a la estrella del espectáculo? ¿Valía la pena?

¿ERA ÉL EL QUE ESTABA HABLANDO CON EL CAMIONERO?

PROBABLEMENTE EL TIGRE ESTABA ASEGURADO. QUIZÁS PIERRE QUIERE CONSEGUIR EL DINERO DEL SEGURO PARA MEJORAR EL ESPECTÁCULO.

¿Qué quiso decir cuando le dijo a Terra que contaba con ella y por qué se enojó ella al escucharlo? ¿Contaba con ella para robar el tigre?

¿Se llevaron al tigre cuando él estaba distrayendo a todo el mundo con su remolque echado a perder? ¿Trabaja con alguien?

Ficha de sospechoso

Nombre: Sra. Watson

Motivo: Le disgusta ver al tigre en cautiverio.

Pistas: Admitió que estaba en contra del cautiverio de animales y dijo que haría cualquier cosa por liberar al tigre.

¿POR QUÉ ESTABA HUSMEANDO EN EL ESPECTÁCULO, CERCA DE LA JAULA DEL TIGRE? ¿PARA DEJARLO ESCAPAR?

¿QUÉ HACÍA EN LA MANSIÓN MURRAY?

Ficha de sospechoso

Nombre: Terra, la domadora de tigres

Motivo: ¿Es cómplice de Pierre?

Pistas: ¿De qué estaba hablando con Pierre después del accidente del trapecio? ¿Por qué le dijo a Pierre que podía confiar en ella? ¿Confiar en ella para robar el tigre? ¿Y a qué dinero se refería?

LLORABA DESCONSOLADAMENTE CUANDO EL TIGRE DESAPARECIÓ. ¿ESTABA FINGIENDO PARA QUE NO SOSPECHARAN DE ELLA?

¿LE ROBARON REALMENTE LA LLAVE DE LA JAULA DE LADY O SIMPLEMENTE QUERÍA HACER CREER QUE OTRA PERSONA LO HIZO?

Faro de Mystic

Ficha de sospechoso

Nombre: Sr. Richards

Motivo: Colecciona aves exóticas. ¿Coleccionará también otros animales exóticos?

Pistas: ¿POR QUÉ ESTABA MERODEANDO POR EL CIRCO? ¿TIENE ALGUNA CONEXIÓN?

Admite que le encantan los gatos. ¿Querrá tener un tigre? Pero se pasó toda la mañana hablando por teléfono cuando desapareció el tigre.

¿Con quién habla por teléfono todo el tiempo?

VIAJA POR TODO EL MUNDO Y HA ESTADO EN SIBERIA. EL TIGRE QUE HA DESAPARECIDO ES UN TIGRE SIBERIANO. ¿HAY ALGUNA CONEXIÓN?

Ficha de sospechoso

Nombre: EL GRAN ZAMBINI

Motivo: ENOJADO CON PIERRE POR SUSTITUIR EL NÚMERO DEL GRAN ZAMBINI CON UN TIGRE.

Pistas: ¿Quién cortó la cuerda del trapecio?

¿DÓNDE ESTABA EL SR. ZAMBINI CUANDO SUPUESTAMENTE DEBÍA ESTAR DESCANSANDO EN SU REMOLQUE?

¿Se lastimó realmente la pierna o fingió para no tener que actuar? ¿Por qué?

Cuando acabaron, revisaron los papeles una y otra vez, pero no sacaron ninguna conclusión.

—¿Hemos pasado algo por alto? —se preguntó Jen en voz alta.

Zeke miró la hora en el reloj de su mesa.

—¡No lo sé, pero se nos está acabando el tiempo!

Nota al lector

¿Has averiguado quién robó a Lady? ¿Será la misma persona que está causando todos los accidentes en el circo?

Si revisas este caso con cuidado, descubrirás algunas pistas importantes que Jen y Zeke no han tenido en cuenta en su búsqueda.

Tómate tu tiempo. Revisa detenidamente tus fichas de sospechosos. Cuando creas que tienes la solución, lee el último capítulo para averiguar si Jen y Zeke han reunido todas las piezas para resolver *El misterio del tigre desaparecido*.

¡Suerte!

Solución

¡Otro misterio resuelto!

—¡Son las cinco en punto! —dijo Zeke—. El camión estará listo a las cinco y media.

—¡Piensa! —le ordenó Jen.

—*Estoy* pensando —protestó Zeke. Miró de nuevo las fichas de sospechosos. En el fondo, había algo que le preocupaba, algo que no habían anotado en las fichas de sospechosos... ¡El anillo del Sr. Richards!

—¿Qué? —preguntó Jen detectando un creciente entusiasmo en su hermano.

—El camión pertenece al Grupo Pirámide, ¿verdad?

Jen asintió.

—Bien, el Sr. Richards lleva en el meñique un anillo de diamantes ¡que tiene la forma de una pirámide!

—Esa no es exactamente una evidencia sólida —dijo Jen frunciendo el ceño.

—Recuerda que él viaja por todo el mundo. Le encantan los animales, ¿no? Los *colecciona.*

Jen comenzó a asentir lentamente.

—Y Slinky le encantó, aunque su ropa cara quedara llena de pelos. Y es lo suficientemente rico como para comprar un tigre siberiano.

—Exactamente —dijo Zeke—. Los tigres son tan raros que si el Sr. Richards no podía conseguir que alguien se lo vendiera, ¡tenía que robarlo!

De repente, Jen frunció el ceño.

—Pero él no pudo haber robado a Lady. Estuvo en el teléfono todo el viernes por la mañana, ¿recuerdas?

Zeke hizo una pausa durante un instante. Entonces chasqueó los dedos.

—Debe de haber alguien adentro que trabaja para él. Uno de los payasos debe de ser su socio. ¿Quién? ¿Quién necesita dinero?

Jen cerró los ojos y pensó en las pistas de los payasos. ¿Qué payaso? Mitchell había dicho que él no creía que ninguno de los payasos lo hiciera. Y los zapatos con pintura azul no pertenecían... a nadie.

—No es un payaso —dijo Jen finalmente.

—Pero ¿qué hay de la huella del payaso?

—Era un traje viejo. ¿Y recuerdas lo difícil que nos resultó reconocer a Mitchell sin el maquillaje? Yo solo lo reconocí por la forma en que movía los brazos al hablar. Alguien se disfrazó de payaso.

Zeke recordó algo.

—Vi un payaso —dijo lentamente— la mañana en que se robaron a Lady. Me pareció raro que fuera el único que ya llevaba puesto el disfraz. Cojeaba al caminar.

—¿Qué dijiste? —preguntó Jen.

—Que vi un payaso...

—¿Has dicho que cojeaba?

—Oh, sí.

—¿Quién es el único artista en el circo que cojea?

Entonces Zeke cayó en la cuenta.

—¡El Sr. Zambini!

Miró nerviosamente su reloj: las 5:07.

Jen también miró el reloj, dio un salto y se dirigió a la puerta.

—¿Adónde vas? —le preguntó Zeke.

Jen le hizo señas para que la siguiera. Bajaron corriendo las escaleras y le contó a Zeke su plan entrecortadamente.

—El camión. Tenemos que meternos con disimulo por la parte de atrás. Irá a recoger a Lady. Encontraremos a Lady. Es la única forma. Escondernos donde la van a poner antes de que la saquen de la ciudad.

Zeke agarró a Jen del brazo y la detuvo.

—¿Estás loca? —le preguntó.

—¿Tienes alguna idea mejor? —le preguntó Jen.

Zeke estaba que echaba humo. No, no tenía una idea mejor, pero tampoco quería que se lo comiera un tigre. Sin pensarlo, se paró ante el teléfono de la cocina con forma de colmena.

—¿Qué vas a hacer? —le preguntó Jen—. No tenemos tiempo para hacer llamadas por teléfono.

Zeke le hizo una señal a su hermana para que esperara un momento mientras marcaba el teléfono de Tommy. Ocupado. Lo intentó de nuevo. Todavía ocupado. Marcó el número de Stacey y ella contestó después de un par de timbrazos.

Atascándose con las palabras, Zeke intentó explicarle lo que estaba sucediendo.

—Tienes que encontrar a Pierre y llamar a la policía. Diles que sigan al camión que está en el taller mecánico del tío de Tommy, el que tiene un triángulo negro en uno de los lados. ¡Dile a Pierre que el camión lo llevará donde está el tigre desaparecido!

Stacey comenzó a hacerle preguntas, pero Zeke sabía que podía estar hablando durante horas si él la dejaba.

—Ponte en marcha —la interrumpió—. Puede que sea una cuestión de vida o muerte.

"Para nosotros", pensó al colgar de un golpe el teléfono. Fue corriendo detrás de Jen.

Con su pelo castaño al viento, Jen bajó rápidamente la colina para ir al taller mecánico, pedaleando como si estuviera loca. Esperaban que no hubieran pasado ya a recoger el camión.

Cuando doblaron la esquina, Jen dio un suspiro de alivio. ¡El camión estaba todavía allí! Los gemelos dejaron tiradas sus bicis y corrieron hacia el camión, agachándose con la esperanza de que nadie los viera. Zeke no pudo respirar hasta que se las arreglaron para levantar un poco la puerta trasera y colarse en el remolque oscuro. Cuando cerraron la puerta, se quedaron en una oscuridad completa.

Zeke respiró con alivio.

—Espero que el conductor no venga a revisar esto antes de marcharse —dijo Jen apoyándose en la pared para no rodar cuando el camión comenzara a moverse.

Zeke refunfuñó.

—Magnífico. Eso no se me había ocurrido. ¿Qué vamos a hacer cuando abran la puerta para meter a Lady? No se van a poner muy contentos de vernos aquí.

—No te preocupes. Stacey llamará a la policía.

En ese momento, el motor del camión empezó a rugir. Jen se agarró cuando el camionero dio marcha atrás y giró a la izquierda para salir al camino. Intentó imaginarse hacia dónde se dirigían, pero después de varios giros a la derecha y a la izquierda, perdió la cuenta.

De repente, el camión giró a la derecha y Jen se golpeó la cabeza mientras el camión daba tumbos por una carretera llena de baches antes de detenerse de forma repentina.

Jen se quedó inmóvil. De pronto, comenzó a pensar que este no parecía un plan magnífico. Oyó voces afuera. Alguien agarró el tirador de la puerta trasera y abrió la puerta hasta arriba, produciendo un ruido fuerte. Jen y Zeke se quedaron tiesos mirando al Sr. Richards y al Sr. Zambini.

Zeke miró detrás de los enfurecidos hombres, pero la policía no estaba a la vista. ¡Estaban perdidos!

Jen se dio cuenta de inmediato de dónde estaban.

"¡Claro! —pensó ella—. El viejo campo de fútbol abandonado". Un horrible pensamiento le pasó por la cabeza. ¿Qué pasaba si la policía no había seguido el camión? ¿A quién se le iba a ocurrir ir a buscarlos allí?

—¿Qué hacen ustedes ahí adentro? —preguntó el Sr. Richards.

—Yo... nosotros —comenzó a decir Zeke.

—Lo sabemos todo —espetó Jen, elevando el tono de su voz y tratando de competir con el ruido de las olas—. Y no se van a salir con la suya.

Una lenta sonrisa se dibujó en la cara del Sr. Richards, mientras se alisaba su cabello engominado.

—Por supuesto que sí. Siempre lo consigo. ¿Cómo creen que he reunido tantas criaturas exóticas en mi colección de animales salvajes?

El Sr. Zambini permanecía nervioso a su lado.

Entonces, la sonrisa del Sr. Richards se transformó en algo desagradable.

—Vaya a traerme a Lady —ordenó.

—¿Y los niños? —dijo el Sr. Zambini palideciendo.

—Exactamente —dijo el Sr. Richards—. Vamos a averiguar si a Lady le queda algún instinto salvaje.

Jen dio un grito entrecortado.

—Usted se va a meter en un gran problema por esto —dijo Zeke con valentía.

Jen miró a su hermano asombrada. Parecía tan seguro de sí mismo. Entonces el tenue sonido que Zeke obviamente ya había escuchado le llegó a los oídos. ¡Eran sirenas!

El Sr. Richards y el Sr. Zambini también oyeron las sirenas, pero ya era demasiado tarde para que pudieran escapar. Dos patrullas llegaron rápidamente por la carretera y se detuvieron, rodeándolos. Justo detrás de ellos una furgoneta del circo llegó levantando polvo. Pierre, Stacey, la Sra. Watson y Terra salieron de un salto. De inmediato, la policía esposó al Sr. Richards, al Sr. Zambini y al camionero.

—Van a tener que dar muchas explicaciones —masculló uno de los oficiales de policía.

—Les podemos explicar la mayor parte —ofreció Jen y les contó a todos cómo habían reunido todas las pistas y cómo habían descubierto quién estaba detrás del rapto de Lady. Echó un vistazo alrededor—. Pero no se nos ocurrió que este campo de deportes abandonado pudiera ser un escondite tan bueno. Es lógico. Nadie viene aquí ahora que hay un campo nuevo, por lo que nadie podía ver a Lady y, además, el Atlántico ahoga la mayor parte de los ruidos.

Zeke se dirigió a Terra que sujetaba la correa de Lady. El inmenso tigre estaba tendido mansamente a sus pies.

—Pensamos que usted podía ser la culpable —admitió Zeke.

Los ojos verdes de Terra se abrieron de par en par.

—¿Yo? ¿Por qué?

—La oímos discutir con Pierre prometiéndole dinero.

—Le prometí que con Lady conseguiríamos dinero

—se inclinó y le rascó las orejas al tigre—. Formamos un buen equipo.

—El circo no estaba marchando bien —dijo Pierre— y yo necesitaba un nuevo número para reavivar la venta de entradas. Temía que el número de Terra no lograría hacerlo —dijo tímidamente—. Creo que tenía los nervios de punta y no fui muy cortés.

Jen se enfrentó al Sr. Zambini.

—Usted fue quien robó las llaves de Terra para abrir la jaula, ¿verdad?

El Sr. Zambini asintió sin levantar la cabeza para no mirar a nadie.

—¿Tenía usted tantos celos del nuevo número que quería deshacerse de él? —preguntó.

—No, no —protestó el Sr. Zambini con su leve acento—. Necesitaba dinero para mi hijo. Está en la universidad y el costo es muy elevado. Quiere ser veterinario. Es su sueño y yo quería hacérselo realidad, pero no estaba a mi alcance. Cuando alguien me dijo que el Sr. Richards podría pagar cien mil dólares por el tigre, hice mis planes.

—Fue usted mismo quien cortó la cuerda —Jen adivinó en voz alta— y causó todos los pequeños problemas como la desaparición de los trajes de los payasos y la pintura azul del remolque de Pierre.

—Sí —admitió el Sr. Zambini—. Pensé que si

sucedían muchas cosas y una de ellas me ocurría a mí, nadie sospecharía de mí y pensarían que alguien estaba intentando llevar el circo a la ruina.

Jen y Zeke se miraron.

—Pues eso funcionó —admitió Jen—. No nos dimos cuenta de que era usted hasta que Zeke recordó haber visto a un payaso que caminaba cojeando.

Zeke se dio la vuelta hacia el Sr. Richards.

—Y nosotros que pensamos que usted era banquero.

—¿Por qué banquero? —preguntó el Sr. Richards.

—Le oímos decir que compraran cinco de algo —dijo Jen—. Usted dijo que nunca se tenían demasiados.

El Sr. Richards frunció el ceño.

—Hablaba de conejos machos.

—¿Conejos? —dijo Jen extrañada.

—Mi proveedor encontró varios conejos machos con unas marcas muy poco corrientes. Los quería para mi colección.

—De todos modos, ¿qué hace usted con todos sus animales? —le preguntó Stacey. Jen se dio cuenta de que su mejor amiga había sacado un bolígrafo y un bloc.

—Nada —dijo el Sr. Richards encogiéndose de hombros—. Simplemente los colecciono.

—¿Como si se tratara de un zoológico? —insistió Stacey.

—Un zoológico particular —dijo el Sr. Richards—. No me gusta que nadie más vea mis animales.

—Creo que hemos oído suficiente —dijo el oficial de policía y tiró del brazo del Sr. Richards para llevárselo—. Ustedes dos están arrestados. Vengan con nosotros.

Cuando se marcharon, Jen miró a su profesora de ciencias.

—¿Qué está haciendo usted aquí?

La Sr. Watson parecía cohibida.

—Estaba en el circo para ver si habían encontrado a Lady cuando hubo una llamada. Me metí en la furgoneta antes de que alguien pudiera impedirlo y aquí estoy. Tenía que asegurarme de que Lady estaba a salvo.

—Pero ¿qué hacía en la vieja mansión Murray? —preguntó Zeke—. La vimos allí.

—¿Eran ustedes? —exclamó la Sra. Watson. Y se echó a reír—. Me dieron un susto de muerte. Yo también estaba buscando al tigre. Temía que lo maltrataran.

Terra hizo un chasquido con la lengua.

—He examinado a Lady y se encuentra en perfecto estado. Los ladrones no le hicieron daño, menos mal.

Lady restregó su enorme cabeza contra las piernas de Terra.

—Sí, yo también te he echado de menos —dijo Terra con una sonrisa.

—Parece que Lady realmente la quiere —dijo la Sra. Watson dando un suspiro.

—Desde luego —dijo Terra—. La he criado desde que era un cachorro, salvándola de gente terrible que intentaba criar ilegalmente tigres blancos por sus pieles.

—¡Qué horror! —dijo la Sra. Watson—. Supongo que realmente se encuentra mejor con usted. Siento haber causado tanto escándalo.

Terra hizo un gesto con la mano.

—Lo entiendo. Y créame, trato a Lady como a una *reina*.

Stacey se acercó a la domadora.

—¿Me puede decir dónde nació?

—¿Tiene eso que ver con algo? —Terra parecía confundida.

—Es información para el artículo que estoy escribiendo —explicó Stacey con el bolígrafo en la mano.

—Siempre buscando una historia para la primera página —dijo Jen con una risita.

—Vayamos al circo —dijo Zeke—. Con todo lo

que ha estado sucediendo, no hemos tenido realmente la oportunidad de disfrutarlo.

—Podemos ir a buscar a Tommy —dijo Jen.

—No creo que sea muy difícil encontrarlo —sonrió Stacey burlonamente.

—Debe de estar en el puesto de comida —dijeron Jen y Zeke al unísono y estallaron en carcajadas.

Sobre la autora

Laura E. Williams ha escrito más de veinticinco libros para niños, siendo sus más recientes la serie de *Misterios del Faro de Mystic*, *ABC Kids* (*Los chicos del ABC*) y *The Executioner's Daughter* (*La hija del verdugo*). En su tiempo libre, trabaja en una compañía de sellos de goma artísticos que creó en su garaje.

A Laura Williams le encantan los faros y espera poder visitar algún día una pensión en un faro que sea igual que la de Mystic en Maine.

Faro de Mystic

Ficha de sospechoso

Nombre:

Motivo:

Pistas:

Faro de Mystic

Ficha de sospechoso

Nombre:

Motivo:

Pistas:

Faro de Mystic

Ficha de sospechoso

Nombre:

Motivo:

Pistas: